JN014038

大腸がん

「手術後」の不安をなくす 新しい生活術

グレースホームケアクリニック伊東 院長
元がん・感染症センター都立駒込病院 外科部長
高橋 慶一 監修

主婦と生活社

はじめに

1年間に診断される大腸がんの患者数は『がんの統計2023年』では男性で約8万8000人、女性で約6万8000人で、17年間続けて増加しています。男女ともにがん患者数では第2位、男女合わせると第1位で、日本人では最もポピュラーながんになっています。

本書の初版が出された2009年から14年が経過し、大腸がんの診断、治療の進歩は目覚ましく、大きな変革が起こりました。そのようなわけで、本書もこのような変化に対応すべく全面改訂になりました。

大きな変革を具体的に挙げますと、内視鏡検査の技術の向上により、早期がんに対する内視鏡治療も一般に行われるようになりました。外科治療では開腹手術から腹腔鏡手術へ変わり、近年ロボット支援下手術も全国的に広く普及しているところです。薬物療法も大きく進歩し、従来の化学療法に加え、さまざまな分子標的薬が併用されるようになり、さらに免疫チェックポイント阻害薬も導入され、がんの遺伝子情報を踏まえて、治療効果の高い薬物療法が行われるようになりました。骨盤内再発腫瘍に対しては、強力な重粒子線治療も積極的に行われるようになりました。

大腸がんの手術後においては、これらの最新治療が導入されたにもかかわらず、いまだ解決できていない部分もたくさんあります。がんの再発に対する不安だけでなく、手術後に便の回数が増えたり、便が出にくくなったり、ストーマ（人工肛門）をつくってパウチという袋をつけなければならなくなることなど、日常生活に大きくかかわる問題です。

今までに比べて負担の少ない手術が無事に終わっても、その後はどのように過ごしたらよいのか、本当に社会復帰できるのか、不安と戸惑いを感じている患者さんも少なくないでしょう。

そこで本書は、大腸がんの最新の治療を概説するとともに、手術後の生活読本として術後の回復のコツ、日常生活のあり方、排便のコントロールのやり方などに力点を置き、術後のがんとの付き合い方や社会生活をスムーズに送るための生活法について解説しました。

本書を読んでいただいた読者の皆さんが、大腸がんと正面から向き合って、自分らしく生きていくための一助となれば幸いです。

グレースホームケアクリニック伊東 院長
元がん・感染症センター都立駒込病院外科部長
高橋 慶一

大腸がんの手術後も“自分らしい生活”を大切に！

がんと診断されると、病気のことばかり考えがちですが、退院してからの“自分らしい生活”も大切です。手術後の生活を把握しておきましょう。

大腸がん手術後のスケジュール

退院

洗面所まで楽に歩いて行けるようになり、痛みがやわらいできたら退院

からだが動かせるようになり、病院で出される食事がとれ、おならや便が出て腸閉塞の心配もなくなったら退院。

2週間後（1回目の定期検診）

食欲がないときは好きなものを食べる

副作用などの影響で食欲がわかなかったり、食べられないことも。そんなときは無理をせず、食べたいものを食べられるときに食べるのがよい。

➡P50

少しずつからだを動かし始める

はじめは散歩からでもOK。運動量を少しずつ増やしていきながら、体力を戻していく。からだを動かすと腸の動きが活発になり、食事と排便によい効果が。

1か月後（2回目の定期検診）

徐々に通常の食事に

消化のよいもので腸を慣らし、少しずつ量を増やしていく。腸の動きが安定してきたら、徐々に手術前と同じ食事に戻す。

➡P90

3か月後（3回目の定期検診）

職場への復帰も

傷の痛みがなくなり、日常生活で訪れるさまざまな場面に対応できるようになったら、職場への復帰も。

➡P38

定期的に検査を受けながら、徐々にからだとこころを慣らし、これまでと同じように日々を楽しく過ごしましょう。

もし再発したら
主治医と治療法を相談して、
治療を再開する

再発の多くは、離れた臓器への転移も含めて手術から５年以内。進行の度合いや考えられる治療法（手術、化学療法、放射線治療、重粒子線治療など）とその効果などを主治医から詳しく聞く。そのうえで治療法を決める。

➡P144

５年後　３年後　１年後

3~6か月ごとに定期検診

3~6か月ごとに定期検診

５年を目安に
定期的に
検診を受ける

がんの再発転移に備え、定期的な検査は欠かさず受ける。

➡P85

抗がん剤治療が
終わっても定期的に
検診を受ける

ステージⅢの患者さんは再発予防のため、術後４～８週ごろから抗がん剤治療を受け、退院後６か月を目安に治療は終了。

➡P137

ストーマ（人工肛門）につける袋「パウチ」についてお答えします！

Q&A

Q パウチは簡単につけられますか？

A つけられます

専門資格をもつ看護師（看護認定看護師）に相談して、自分にあった装具を選びましょう。そのうえで正しいつけ方を身につければ大丈夫です。

➡P62

Q においは気にならないのか心配です

A においはしません

ストーマ装具には防臭・防水加工が施されています。正しく装着し、清潔にしていればにおいがしたり、服を汚すことはありません。

➡P62

Q パウチって簡単にはずせますか？

A はずせます

装具の面板（めんいた）をゆっくりと少しずつはがせばOK。装具を選ぶときに、正しいはずし方を教えてもらいましょう。

➡P63

Q パウチをつけてお風呂に入れますか？

A 気にせず入れます

パウチを装着したままでも、はずしても入れます。装着したままなら、入浴前にパウチ袋内の排泄物（はいせつ）を処理し、空になった状態で入ります。はずすのであれば、排泄物を受けるための専用容器をつけます。においも気になりません。

➡P74

ストーマは、慣れるまでは戸惑うこともイライラすることもあるでしょう。「自分の一部」という気持ちでつきあっていきましょう。

Q 便意は感じますか？

A **感じませんが、2つの方法で便が出せます**

自然に便が排出される「自然排便法」と腸内にぬるま湯を入れて腸を刺激、強制的に便を排出させる「洗腸排便法」のどちらかで便を排出します。

➡ P70

Q ストーマ周辺の肌、かゆくなったりしませんか？

A **かゆくなったら医師に相談を**

装具交換時に粘着剤などの汚れをよく落としましょう。それでもかゆみや痛み、湿疹が出たら装具がつけにくくなるので、医師に相談してください。

➡ P66

Q ストーマをつけていても旅行に行けますか？

A **もちろん行けます**

気分転換のためにも旅行はよいことです。その際は、予備のストーマ装具一式を持ち歩きましょう。温泉には、パウチ袋を空にした状態で装具をつけて入ります。

➡ P75

Q ストーマをつけていても運動できますか？

A **積極的に運動しましょう**

筋トレ、柔道などの格闘技、ラグビー、腹部に強い圧迫や負担のかかる運動以外ならOK。水泳などもストーマ管理をしていれば問題ありません。

➡ P74

Q 周囲の人たちにストーマをつけていることを伝えたほうがいいですか？

A **話しておきましょう**

体調が急に悪くなったときや、急にストーマケアが必要になったときなどに時間が確保しやすくなります。職場や学校のロッカーに予備のストーマ装具一式を常備しておくと安心です。トイレの場所を確認しておくことも忘れずに。

➡ P79

術後の日常生活、患者さんの気になるお悩みに答えます！

再発を予防するために注意することはありますか？

87ページを参考に、生活全般を見直してみましょう。そして定期検診も忘れずに。

外食しても大丈夫でしょうか？

焼肉や揚げ物など脂っこい料理は下痢がひどくなる恐れがあるので、腸の状態が安定するまでは控えましょう。 ➡P97

大腸がんの5年生存率ってどのくらいですか？

ステージによって違いますが、早期であれば83%です。大腸がんは治る病気と言われているのはそのためです。

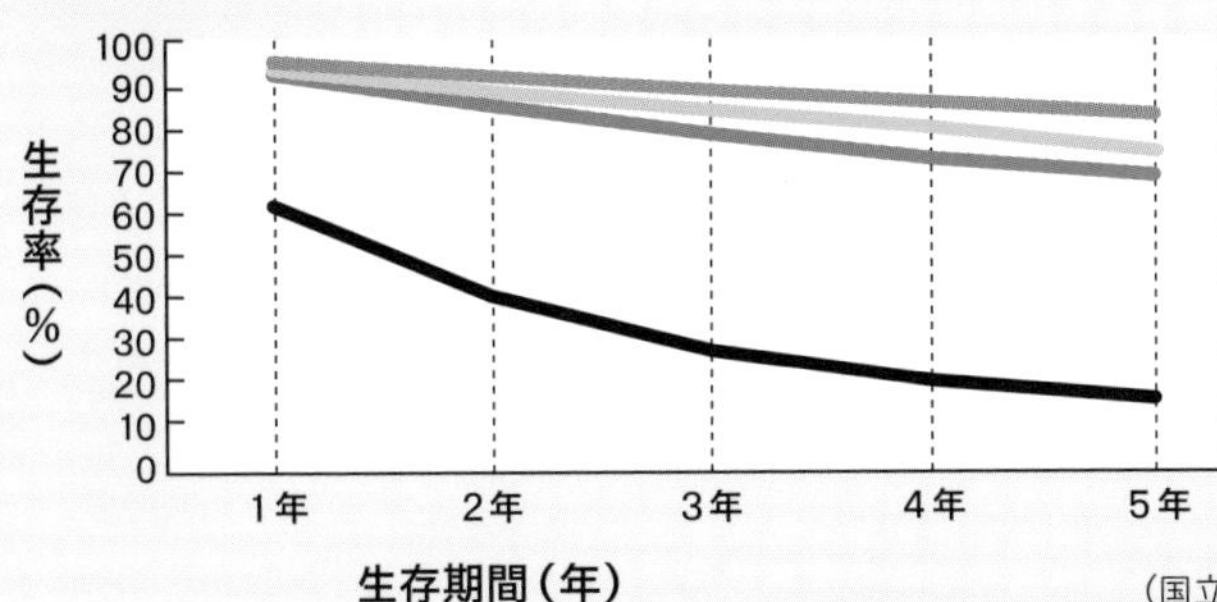

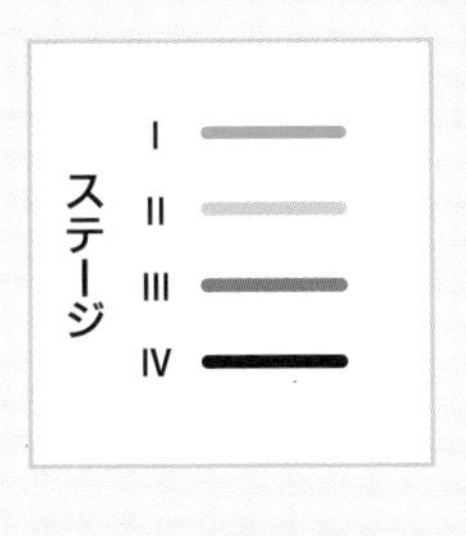

（国立研究開発法人国立がん研究センター
がん情報サービス「大腸がん実測生存率2014−2015年」より改変）

下痢や便秘になりやすいって本当ですか？

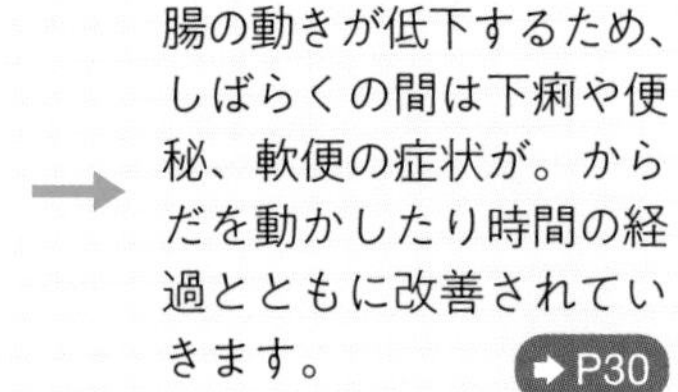

腸の動きが低下するため、しばらくの間は下痢や便秘、軟便の症状が。からだを動かしたり時間の経過とともに改善されていきます。

➡P30

食事で気をつける点は？

慣れるまでは、食物繊維が多い食材は要注意です。豆類、いも類、根菜類などは食べすぎないようにします。

➡P90

体力はいつになったら戻りますか？

毎日少しずつからだを動かすことで、自然と戻っていきます。早く戻したいからといって、無理はしないでください。

➡P102

抗がん剤の副作用が強いのですが…

使われる薬によって現れる副作用は変わりますが、その対処法は確立されています。副作用がつらいから抗がん剤はのまない、ではなく、副作用の対処法を聞いておきましょう。

➡P48

悩みはひとりで抱え込まず、いろいろな人の手を借りてください！

がんになると、とかく不安になりがちです。ひとりで抱え込まず、周りの人に相談しながら生活していきましょう。

治療中のあらゆる悩みや相談ごと。誰に相談すればいいの？

医療ソーシャルワーカー

経済的・心理的・社会的問題の解決、調整、社会復帰を支援する。病院や保健所などの保険医療機関で対応(→ P124)。

治療中の心配ごと、どこに相談すればいい？

医師、看護師、がん相談支援センター

情報提供から、経済面、心理面、介護の問題など幅広い相談に応じる(→ P124)。

主治医の提案する治療方針でいいのか不安……

セカンドオピニオン

セカンドオピニオン外来のある医療機関を探し、主治医以外の医師の意見を聞く(→ P145)。

在宅医療に切り替えることに。介護保険を申請したい

地域包括支援センター

各市区町村に設置された施設。保健師や社会福祉士、主任介護支援専門員などが生活の安定のために必要な援助を行う。介護支援や介護保険の申請などについて相談にのってくれる(→ P124)。

同じ境遇の人の話を聞きたい! 話したい!

大腸がん患者さんの会

大腸がんを経験した患者さんや、ストーマの造設術を受けた患者さん同士が情報交換や交流を図るためにつくられた会。大きい規模のものから小規模の会までさまざま(→ P168)。

『大腸がん「手術後」の不安をなくす 新しい生活術』もくじ

第2章 手術後の補助療法を受けるとき

第3章

ストーマ（人工肛門）をつけたとき

手術後の快適な暮らしのために

第5章 再発・転移への備えと治療法

第1章

スムーズな社会復帰のために

自分の受けた手術を知っておこう

まずは主治医に手術の詳しい説明を受ける

大腸がんは早期に発見して適切な治療を受ければ生存率が高く、完治も可能な病気です。

手術後も、医師の指示を守って療養すればスムーズに回復し、退院できます。比較的早い段階での社会復帰も可能です。ただし、受けた治療の内容によって、術後の回復具合や現れやすい症状などが異なります。退院後の日常生活をより快適に過ごすために、医師に次の点を確認しておきましょう。

①どこに、どの程度進んだがんがあったのか
②どのような治療を受けたのか
③今後はどんなことに気をつけて過ごせばよいのか

予後や生活の注意点もよく確認する

大腸の一部を切除してつなぎ合わせる手術（吻合術）をした場合、便が吻合部（つなぎ合わせた部分）を通過するようになるまで3日から数日間かかります。

便の状態や排便の回数なども腸のどの部分を切除したかによって少しずつ異なります。下痢や便秘になりやすい、便の状態が一時的に水様便～軟便になります。

また、頻度は少ないものの手術の影響で出血したり、腸が癒着して腸閉塞（腸がふさがった状態）になり、再手術が必要になることもなかにはあります。

直腸がんによる肛門切除でストーマ（人工肛門）を造設した場合は、そのケアを覚えてから退院することになります。

こうした予後の違いからくる日常生活の注意点についても、退院前によく話を聞いておきましょう。

大腸のしくみと働き

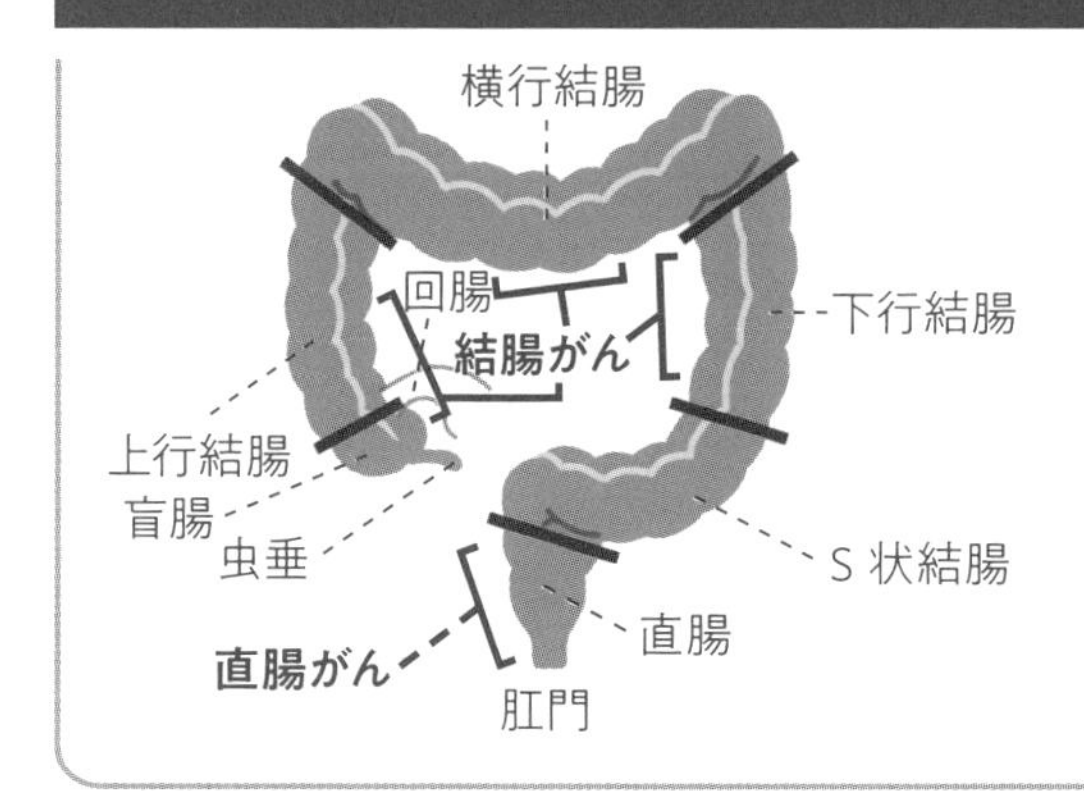

【長さ】…1.5m

【しくみ】…盲腸、結腸、直腸に分けられる

【働き】…胃や十二指腸、小腸で消化された食べ物の残りかす（吸収されなかったもの）が運ばれる。さらに水分を吸収して便を形成し、肛門から排泄（はいせつ）する。

[大腸がんの手術のタイプ]

手術のタイプ		特徴
腹腔鏡（ふくくうきょう）手術		●腹部に数か所小さな孔（あな）をあけ、腹腔鏡（腹腔内をのぞき見るカメラ）を入れてがんを切除する。 ●傷が小さいので患者さんの負担が軽減される。腹腔内では開腹手術と同様に、がんのできている部分の腸管とその周囲のリンパ節の切除やつなぎ合わせ（吻合）が行われる。 ●手術後の排便の状態や生活上の注意は、開腹手術の場合とほぼ同じ。
開腹手術		●おなかを切開し、がんができている部分の腸管とその周囲のリンパ節を切除して腸をつなぎ合わせる。 ●どの部分をどれだけ切除したかによって手術後の排便の状態や回復の早さ、日常生活での注意点などが異なる。
その他	内視鏡治療	●肛門から内視鏡を入れてがんを切除する。 ●早期がんの一部までに限られる。 ●病巣が小さい場合、入院療養の必要はないが、通常は切除後の安静が必要なため、数日間の入院療養が必要。
その他	局所切除術（経肛門的切除術）	●肛門から特殊な器具を入れてがんを切除する。入院が必要。 ●早期がんの一部だけに限られる。 ●おなかは切らない。 ●便の状態や日常生活は治療後もとくに変わらない。

結腸がんの手術部位

手術部位　（　　）内は手術の名称

上行結腸がん
（結腸右側切除術）

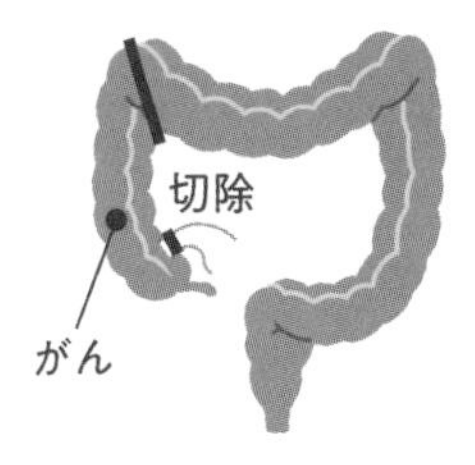

盲腸および上行結腸の全部または一部と回腸末端部を切除し、回腸と横行結腸側をつなぐ。

横行結腸がん
（横行結腸切除術）

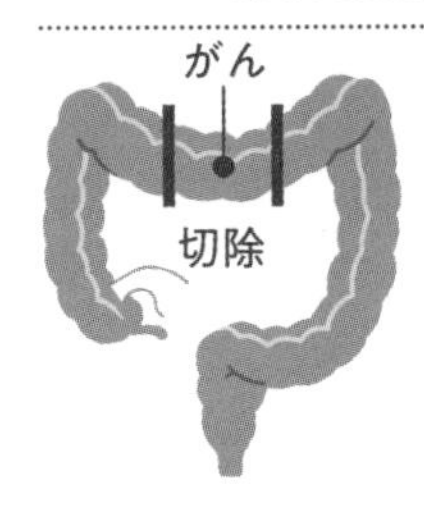

横行結腸の全部または一部を切除し、上行結腸側と下行結腸側をつなぐ。

上行結腸がん
（結腸右半切除術）

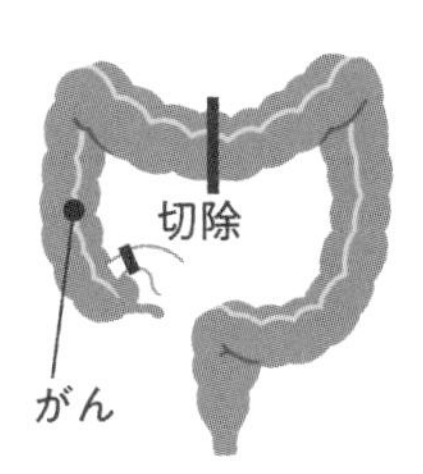

回腸末端部から横行結腸の中央部までを切除し、回腸と横行結腸側をつなぐ。

下行結腸がん
（結腸左側切除術）

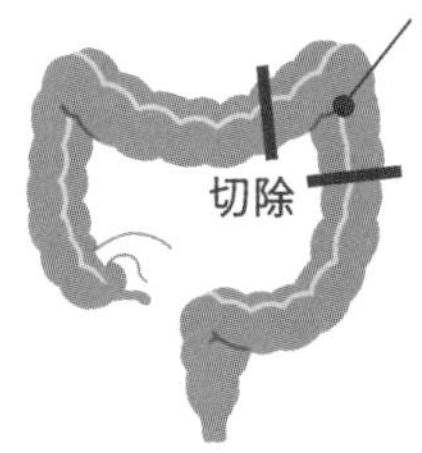

下行結腸の全部または一部を切除し、横行結腸側とＳ状結腸側をつなぐ。

盲腸がん
（回盲部切除）

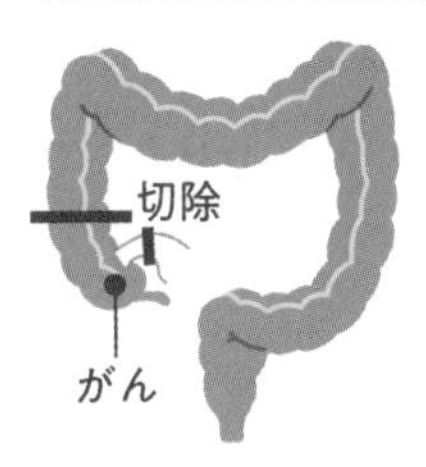

盲腸および上行結腸の一部と回腸末端部を切除し、回腸と上行結腸側をつなぐ。

S状結腸がん
（S状結腸切除術）

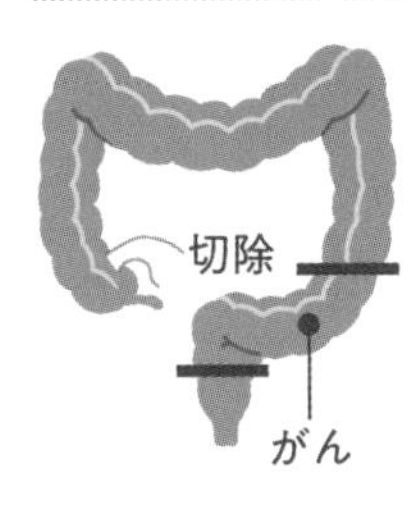

S状結腸の全部または一部を切除し、下行結腸側と直腸側をつなぐ。

直腸がんの手術部位

がんが肛門から離れている（肛門機能温存術）

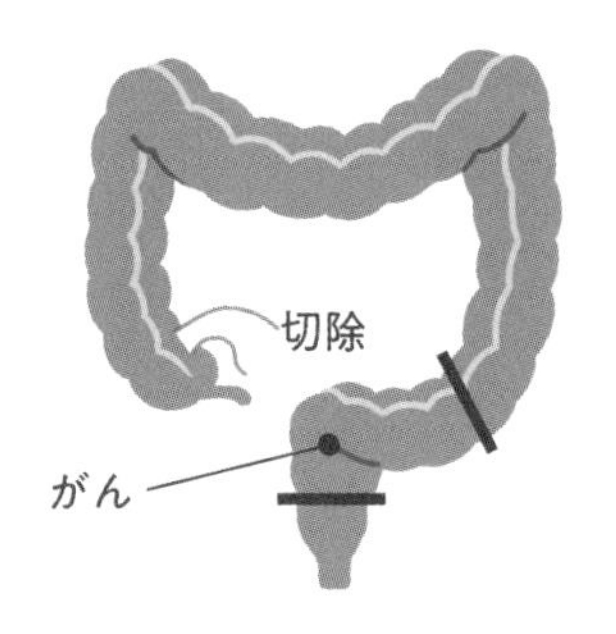

肛門や肛門括約筋を残し、がんのある直腸およびS状結腸を切除し、腸管を吻合（ふんごう）。手術直後は頻便（5～8回／日）になるが、徐々に減る（2～5回／日）。直腸を切除した場合は便をためる容量が少なくなるため、排便回数が増える。なお、自然な排便が可能。下部直腸がんで肛門付近の直腸や肛門と結腸を吻合した場合は、一時的に人工肛門（ストーマ）を造設することがある。

がんの部分だけを切除する（局所切除術）

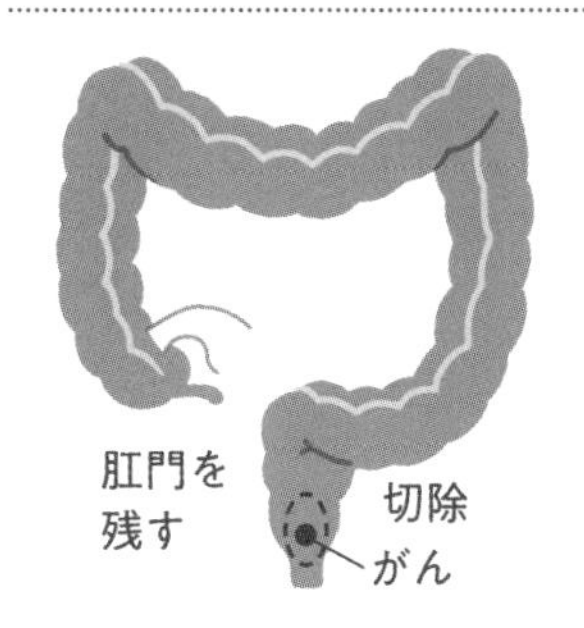

肛門に近い早期直腸がんの一部では肛門側から特殊器具を挿入し、直腸壁の一部を含めてがんを切除する。排便障害はほとんど起こらない。

がんが肛門の近くにある（直腸切断術）

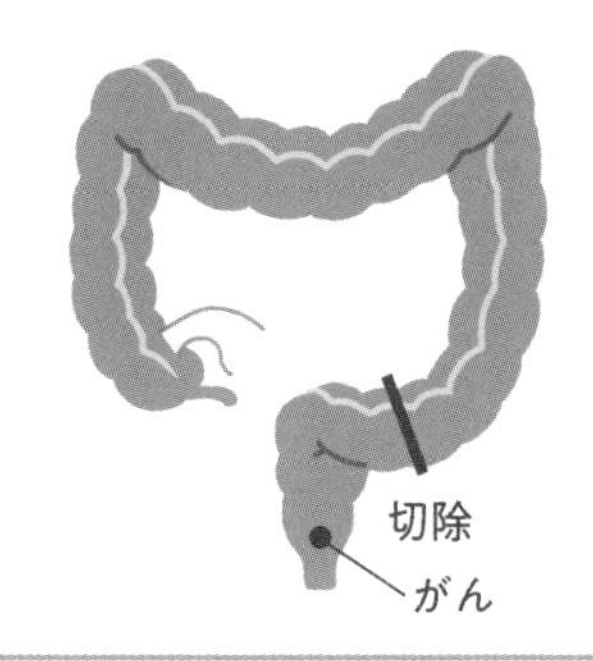

肛門周辺の皮膚を含めて直腸を切断。肛門の外側の皮膚をふさぎ、腹部にストーマを造設する。ストーマになると自分の意思とは関係なく排便が起こり、ストーマケアが必須になる。

どの段階で退院が許可されるか

順調な回復を目指し コンディションをととのえる

大腸がんの手術後、順調に回復し、退院するには次の点に注意して過ごしてください。

①自分の病状をきちんと把握する
②手術後の経過説明をよく理解しておく
③食事の制限などの指示に従う
④食事は毎食均等に（食事抜きやまとめ食いは回復の妨げになる）
⑤運動や入浴などは病院の指示に従う
⑥高齢の人は体力づくりを
⑦精神の安定を心がける
⑧持病をチェックし、その治療・調整も行う

体力の低下は回復を遅らせるので、適度にからだを動かし、体力の向上を図ります。

よく眠れない場合は医師に相談し、睡眠薬の処方を受けてもよいでしょう。

大腸がん以外に高血圧や糖尿病などの持病がある人は入院前に検査を受け、**血圧や血糖値などをコントロールし、全身状態を安定させます。**手術後も同様に、健康状態に留意します。

手術後は合併症に注意する

手術では全身麻酔をかけることが多く、その影響で術後にはたんが出やすくなります。このとき、たんをうまく吐き出せないと、肺にたんがたまって肺炎などの術後肺合併症を起こす危険があります。

そこで予防のため、術前に深呼吸など呼吸訓練やたんの出し方などを練習します。医師の指示に従い、合併症予防に努めましょう。

なお、術後の強い痛みには鎮痛薬（痛み止め）が用いられます。

入院から退院までの流れ

入院～手術前日

- 検査（血液検査、心電図、呼吸器検査）。
- 手術の詳しい説明。
- 麻酔についての詳しい説明。
- 前日は食事中止または低残渣食（ていざんさしょく）（胃腸に負担をかけないよう調整した食事）。
- 下剤を服用して、腸の中をきれいにする。

手術当日（術前）

- 浣腸などで腸内の便を全部出す（浣腸しない場合もある）。
- 手術着に着替えて麻酔後、手術。

手術当日（術後）

- 術後検査（血液検査、X線検査など）。
- 点滴や膀胱（ぼうこう）内にバルーンカテーテル（術後の排尿を助ける医療器具）などが入った状態で、病室または回復室へ移動。ベッド上で安静に過ごす。
- 痛みや吐き気があれば医師や看護師に遠慮せず伝える。

手術翌日

- 回診で手術の傷のガーゼを交換。
- 医師の指示があれば水分をとり始める。指示がない間は、うがいで口を潤す。
- ベッドで上半身を起こし、座ったまま目をあけて15分程度めまいがなければ、立ち上がることを目指す。
- 可能であれば看護師やヘルパーの付き添いのもとベッドわきに立ってみる。さらに可能であれば歩いてみる。

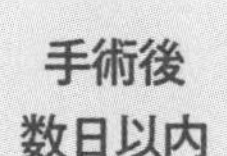

手術後数日以内

- 看護師やヘルパーの付き添いで歩行練習をする。
- 深呼吸をしてたんを吐く。
- 痛みで歩行や呼吸がつらい場合は、医師に痛み止めの薬を処方してもらい、積極的に動いてみる。
- おならが出て医師の指示があれば、術後3～4日で食事が始まる。最初はおもゆ、おかゆなどから。
- 便が出る。

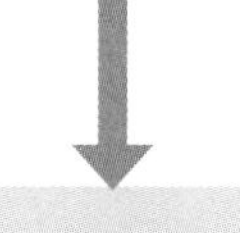

手術後1～2週間

- 1週間程度で傷口の抜糸をする。
- 食事内容が徐々にふつうの食事に近づく（入院中の主食はおかゆのことが多い）。
- 歩いて洗面所や浴室、トイレなどに行ける。
- 痛みが徐々にやわらいでくる。

➡ 退院を検討

退院

術後の傷の治り具合と体力の回復度合いで判断

多くの場合、術後1週間程度で傷口の抜糸となります。抜糸は表面の傷口がふさがったことを意味します。同様に、腹腔内では腸管の吻合部がしっかりつなぎ合わさったと考えられます。最近は吸収性の糸で縫合することが多く、抜糸をしなくなっています。

傷の痛みは術後2~6時間後くらいが最も強く感じられますが、2~3日で徐々に楽になります。抜糸がすみ、検査結果も良好で、著しい体力の低下がみられなければ、退院へ一歩前進です。

痛みが強い場合は、がまんせずに医師に相談し、痛み止めを処方してもらいます。薬で痛みを抑えれば、からだを積極的に動かせるようになります。「病棟内を歩こう」などと自分で目標を立て、体力の回復を図るとよいでしょう。

病院で出される食事をとることができ、おならや便が出るなら、順調に回復しているといえます。

傷の完治には3か月程度かかりますが、**術後10日~2週間程度で退院できます**。

むしろ早期にふつうの生活に戻ったほうが体力の低下を防げるため、腸の動きの回復にも効果的です。無理は禁物ですが、少しずつふつうの生活に戻し、行動範囲も徐々に広げていくことが大切です。

検査の結果によっては追加治療があることも

手術後の検査で腸の癒着による腸閉塞の傾向がみられたり、転移に対する抗がん剤治療が早期に必要と判断されたりした場合は、その治療が行われます。

腸閉塞の治療は、鼻から小腸内に管を挿入して詰まりを改善する保存的治療を行います。これでも改善しない場合は、もう一度手術で癒着を取り除きます。

腸管の吻合部の縫合不全による腹膜炎の危険があるときは、緊急手術で人工肛門を造設することもあります。

そのほか、極端な体力低下や合併症がある場合もその回復を待って退院の時期を検討します。

ストーマ（人工肛門）造設術を受けた人は、ストーマケアをある程度習得してから退院となります（→P60）。

退院のためのチェックポイント

☑ 食事をちゃんと食べられていますか？

病院の食事を食べられるならOK。自宅でふつうの食事に切り替え可能。

☑ 排便はありますか？

下痢・軟便でも、2～3日に1回程度の排便でもOK。腸閉塞がないことが大事。

☑ ひどい痛みを感じることがありますか？

姿勢により多少の痛みがあっても、からだを動かすのに支障がない程度ならOK。

☑ 体力は回復していますか？

長期入院で体力が低下している場合はリハビリをしながら様子をみることもある。

☑ 歩いたり座ったり生活動作ができますか？

自力の歩行が可能で、身のまわりのことを自分でできるならOK。

☑ おなかが苦しいことがありますか？

苦しくなかったらOK。便通がなかったりすると腹部が張り、苦しい。

以上の6つのポイントのほか、検査結果に問題がなく、医師の許可があれば退院できる。

退院直後の生活の注意点

退院後の生活について 医師の指導を受ける

退院が決まったら、医師や看護師から治療経過の説明と、退院後の生活についての指導が行われます。わからないことがあれば、入院中に聞いておきましょう。

腸の動きが手術前と同程度に回復するには、まだ時間を要します。退院後はあせらずゆっくりと、術後の腸の具合に慣れていきます。

まずは体力の回復に重点を置き、ふつうの生活に戻ることを目標にします。1日の運動量を決めて少しずつ量を増やしながら、短時間でもくり返しからだを動かすことが大切です。

退院後には症状によって薬が数種類処方されるので、用法・用量を守って服用します。腸の具合が安定するまでは下痢や便秘が起こりやすいため、その薬が処方されることもあります。また、**副作用として下痢や吐き気が起こることがあるため**、注意しましょう。

積極的にからだを動かすと 腸の動きもよくなってくる

運動は筋力低下を防ぎ、血行をよくして、腸の働きも高めます。腸の動きがよくなると食事と排便にもよい効果があります。

また、運動による適度な疲労感は睡眠を促し、全身の回復につながります。

ただ、退院直後はまだ傷の痛みを感じることがあるので、このようなときは無理をせず、ほどほどにとどめておきましょう。

傷の痛みや全身の状態をみながら、少しずつ運動量を増やします。痛みがなくなり、食事や排便時の対処にも慣れてきたら、職場復帰も可能になります。

退院後はこんなことに気を配ろう

食事

ゆっくりよく噛んで食べる。消化の悪い食品は避ける（→ P90）。

運動

無理のない範囲で運動し、体力低下を防ぐ。散歩や日常動作だけでもよい運動になる。

睡眠

疲労をためないように睡眠時間は十分にとる。早寝早起きの規則正しい生活を。

入浴

退院直後はシャワー浴を。医師の許可が出たら湯船につかってもよい。

お酒・たばこ

お酒は医師に相談してから。ただし、適量を守る。たばこは禁煙が望ましい。

排便

便の状態や排便回数が安定するまでには時間がかかる。下痢・便秘の対処法（→ P30）を参考に。

旅行・仕事

体力が回復し、食事と排便の対処ができるようになれば問題ない。

定期検査を忘れずに

再発や転移を早期発見するためにも退院後の定期検査は必ず受ける。

先生、教えて Q&A

おならや便のにおいが気になります

手術後は腸内環境が変化することもあり、以前よりおならや便のにおいが強くなったと感じる患者さんが多くみられます。

においが気になるときは、便のにおいやガスの発生に影響しやすい食品（→P95）を避けるといった工夫をしてみるとよいでしょう。便のにおいを弱めるサプリメントなども市販されていますが、効果には個人差があるようです。

手術が原因で起こる症状と対策

後遺症の多くは直腸がんの手術で起こる

大腸がんの手術のあとは腸の働きが低下するため、しばらくの間は**下痢や軟便、便秘**などの症状が現れます。多かれ少なかれ誰にでも起こるもので、便の形状や排便リズムなどは、時間の経過にともない改善されていきます。

しかし当面は、医師の指導のもと、日常生活で困らない程度の対処法を患者さん自身が積極的に身につけていく必要があります。

また、直腸がんの手術後には、吻（ふん）合（ごう）部が肛門に近くなると、前述の症状に加えて**頻便**（頻繁に便が出る）や、**便失禁**（便の漏れ）が起こりやすくなります。さらに、**排便や排尿の障害**（↓P34）、**性機能障害**（↓P36）などの後遺症が現れることもあり、その対処が必要です。

場合によっては腸閉塞を引き起こすことも

術後には、腸管の吻合部周辺の柔軟性が低下したり、腸の動きが悪くなったりして便が吻合部で停滞し、便秘になりやすくなります。

ひどい場合は腸閉塞を起こすこともあります。腸の癒（ゆ）着（ちゃく）で腸閉塞が起こった場合は手術が必要になりますが、頻度は1%程度とまれです。

対処法を知ってより快適な生活を

直腸がん手術後に前述のような後遺症が現れるのは、おもに直腸切断術を受けた場合です。切除が広範囲にわたると、周辺にある排便・排尿・性機能などをつかさどる自律神経もいっしょに切除されてしまうため、これらの機能に障害が起こるケースがあるのです。

最近では、自律神経をできるだけ残す直腸がんの手術（肛門機能温存術または直腸切断術）が多く行われるようになりましたが、がん病巣の場所や大きさによってはやむを得ず切除しなければならず、こうした後遺症が避けられない場合もあります。

また、自律神経が温存されている場合でも、肛門まで含めて直腸を切除する直腸切断術を行った場合は、もともと直腸のあった場所が空洞化して、膀胱の位置がずれたりゆがんだりして、排尿機能に影響をおよぼすことがあります。

しかし、後遺症への対処法は年々進歩し、改善されています。医師の説明をよく聞き、上手な対処法を身につければ退院後も快適な生活を送ることができます。

肛門を切除した場合はストーマケアを覚える

肛門も含めて直腸を切除した場合は、おなかにストーマ（人工肛門）が造設されるので、そのケアを覚える必要があります。

最初のうちは戸惑うことも多いかもしれませんが、退院前に医師や専門の看護師らが教えてくれるので心配はいりません。

最近ではケアグッズも十分に工夫され、便利に扱いやすくなっています。

先生、教えて Q&A

妊娠や出産にはどんな影響がありますか？

大腸がんの手術や術後の抗がん剤の使用により、男性は性機能に、女性も性機能や妊娠・出産に影響がおよぶことがあります。性生活や妊娠・出産に関する悩みや不安があれば、まずは主治医に相談することが肝心です。

女性は、手術や治療によって妊娠・出産ができなくなったり、使用する薬が胎児に影響したりすることもあります。これから妊娠・出産を希望するなら、受精卵や未受精卵子を凍結保存しておくなどの方法もあるので、手術や治療を受ける前に必ず医師に相談してください。

下痢・便秘などで困ったときは

しばらくの間はどうしても下痢・便秘が起こりやすい

大腸がんの手術後しばらくの間は、排便にかかわる症状が避けられませんが、それぞれ対処法を知っておくと安心です。

●下痢・軟便　手術後は腸の働きが低下するため、腸壁が便の水分を十分に吸収できず、水っぽい下痢便や軟便が出ます。だからといって、水分摂取を控えてはいけません。下痢で水分が失われると、脱水症状を起こす危険があります。下痢のときこそ、適度に水分を補給することが大切です。

トイレに間に合わないほど下痢が続くときは、**一時的に紙製の失禁パンツを穿くか、下着に失禁パッドを当てておきます。**特に肛門近くで吻合する手術を受けた場合は、当初、下痢の便が漏れてから気づくことも多いので、失禁グッズを使用したほうが無難です。

時間の経過にともない便の状態は落ち着きますが、外出時などに困るときは、医師に整腸剤や下痢止めを処方してもらいましょう。

下痢・軟便が続くときの食事は、食物繊維のとりすぎに注意します。また、おなかがふくれやすいパン、いも類や炭酸飲料、脂っこいものや消化の悪いものも避けます。

●便秘　手術後の腸の働きの低下は、腸内で便を送り出す動きも妨げます。また、がんを切除した腸管の吻合部の状態によっては、便の通過を妨げることもあります。

便秘がひどいとおなかが張って苦しく、傷が痛むこともあります。薬に頼るのはよくないと思う人も多いのですが、**がまんせず、早めに医師に相談して緩下剤(便秘薬)を処方してもらいます。**ただ、長期間使うと効きにくくなるので、漫然と使用するのは避けましょう。
便秘の改善にはバランスのよい食事をとり、水分も多めにとります。便秘には食物繊維がよいと思うかもしれませんが、消化がよくないので大腸の手術後は控えます。
適度な運動はおすすめです。入浴でからだを温め、おなかをマッサージするのも効果的です。

激しい腹痛、膨満感をともなうときはすぐに受診

腸管の吻合部が細くなったり腸に癒着(ゆちゃく)を起こしたりすると、腸閉塞を引き起こし、腹部が張ってガス(おなら)も便も出なくなります。
便秘に激しい腹痛や吐き気、嘔吐などをともなうときは、大至急医師の診察を受けてください(追

下痢や便秘になったときの対処法

下痢

水分補給を心がける
脱水症状を防ぐため、常温の水かスポーツドリンクをちびちび飲む。

やわらかいトイレットペーパーやガーゼで
排便後はおしりを洗浄し、ガーゼなどで拭く。

外出時は市販の対策グッズを活用する
失禁パンツや失禁パッドを使う。

整腸剤や下痢止めを使う
外出するときは下痢止めの薬を使ってもよい。

便秘

適度に運動する
からだを動かすと、腸も動くので便秘の改善によい。

食物繊維を控える
食物繊維は消化が悪いため、腸の手術後は控える。

湯船につかる
からだを温め、血行がよくなると腸の働きもよくなる。

おなかをマッサージする
横になり、おなかに「の」の字を描くようにマッサージする。

加治療→P24）。

直腸がんの手術後は便意が頻繁に起こる

直腸には便をためておく機能があるため、切除すると排便機能障害が起こりやすくなります。たとえば、直腸の終点ぎりぎりを切除し、肛門を残して結腸とつなぐ「低位前方切除術」（肛門機能温存術のひとつ）では、直腸が短くなるため排便機能障害が強く出ます。

一方、直腸がんが結腸寄りにある場合は「高位前方切除術」（肛門機能温存術のひとつ）で直腸をかなり温存できるため、排便機能障害が軽くてすみます。

ただ、どちらの手術後にも以下のような症状がみられることがあり、そのつど対処が必要です。

●頻便　手術で直腸の一部または全部を切除すると、便をためておくことができず、肛門が温存されていても頻便が起こります。

排便の回数は1日に4～5回以上ありますが、しだいに慣れてきます。術後1～数年経過するうちに直腸が便をためることに慣れ、回数が減ってくることもあります。

●排便困難・便失禁　直腸の切除にともない周辺の自律神経も切除した場合は自力での排便コントロールが困難になることがあります。

一度の排便に長い時間がかかったり、逆に便がたまって排泄されそうなのに気づかず、便を漏らしたりすることがあります（便失禁）。

人によっては、頻便と便秘を交互にくり返すこともあり、この場合は2～3日便秘が続いたあと頻便になり、1日4～5回排便が起こることもあります。

対処法としては、手術後にはこうした排便の状態になることをよく理解し、受け入れることが第一です。**必要に応じて緩下剤（かんげざい）や下痢止め、整腸剤などを適切に使って**不安を取り除きましょう。

ほとんどは手術後半年から1年で改善する

手術の傷が治るにつれて徐々に腸の働きも回復し、便の症状も落ち着いてくるのがふつうです。

経過については個人差が大きいのですが、早い人では1～3か月で、通常は半年から1年程度で改善されます。遅い人では1～3年以上かかることもあります。

早く以前の状態に戻ろうとして

あせるのではなく、**今の自分の腸の状態に応じた生活に慣れるようにうまく工夫していきましょう。**

排便が気になるから外出できないというのではなく、失禁パッドなどを活用して積極的に排便をコントロールすることが大切です。そうやって時間が経過するうちに、少しずつ腸の状態が落ち着き、自分もそれに慣れてくるものです。

排便には精神的な要素も関与します。外出時に緊張していると、便意が抑えられることもあります。こころのもちようで排便のコントロールができることもあるので、精神の安定を図りましょう。

症状を気にせず対策グッズを使おう

便失禁や頻便、おならなどの症状があると周囲の目が気になり、恥ずかしい思いをするかもしれません。

気になる場合は、周囲の人に「大腸がんの手術後で、こういう症状があります」とあらかじめ打ち明けておくとよいでしょう。

症状を気にしすぎて家に引きこもってばかりいるのは、心身ともに好ましくありません。

失禁対策や消臭グッズなどを利用して、少しでも負担を軽減しながら**積極的に活動する**ほうが回復を早めることにつながります。

先生、教えて

Q&A

手術後の腸閉塞はどう防ぐのがいいですか?

術後の腸の癒着(ゆちゃく)や便秘などによって腸閉塞が起こることがあります。ひどい場合は緊急手術が必要になるため、ふだんから予防に努めます。

食事はできるだけ消化のよいものを食べ、便秘を防ぎます。よく噛んでゆっくり食べましょう。

便秘でおなかが張って苦しいときや痛みがあるときは、早めに緩下剤を服用して便やガスを出します。あらかじめ緩下剤を連日内服し、便秘を防ぐとよいでしょう。主治医の指導と処方が必要なので、受診した際に医師に相談してみましょう。

排尿機能障害があるとき

直腸がん手術を受けた人の1割程度に可能性がある

排尿機能障害は、結腸がんの手術後にはまれですが、直腸がんの手術後には起こることがある後遺症のひとつです。ただ、現在では自律神経を温存する直腸がん手術が一般的であるため、排尿機能障害が起こる頻度は1割程度と低くなっています。

直腸がんの手術後に排尿機能障害が起こるのは、がん病巣摘出にともない周辺のリンパ節などを広く切除し、排尿をつかさどる自律神経も一緒に切除した場合などに限られます。

自律神経は骨盤内を左右一対で走行しています。これらが切除、または損傷されると、尿意を感じにくくなる、自力ではまったく排尿できない、尿漏れが起こるなどの排尿機能障害をきたすことがあります（↓下表）。

また、がんの進行によって膀胱も同時に切除した場合は、尿路ストーマを造設する必要があります。

しかし、左右の自律神経のどちらか一方でも温存されれば、排尿機能障害は軽減されます。この場

排尿機能障害のおもな症状

- 尿意を感じにくくなる
- 尿を押し出しにくくなり、自力で排尿できなくなる
- 尿がきちんと出きらず、膀胱内に尿が残っている
- 尿漏れ（尿失禁）が起こる

合は手術後しばらくの間、導尿したり、排尿時に腹部に力を入れたり、押したりして排尿を促します。

神経が一部でも残っていれば、時間がかかってもある程度は自然排尿できるようになります。ただし、手術後半年以上経過すると、機能回復は望めないことが多く、そうした場合は残った機能障害に慣れることも必要です。また、もともと直腸の前側にあった膀胱が直腸切断術後に支えを失い、後ろ側へ倒れることで排尿困難や膀胱内の残尿を引き起こすことがあります。この場合も尿をうまく出せるように腹部を押して排尿したり、導尿したりします。

自己導尿の必要があるかどうかは、必ず医師の話をよく聞いて、指示に従います。

自己導尿が必要になることも

自己導尿とは、自分で尿道口から膀胱までカテーテルを挿入して尿を排泄させる方法です。

大腸がんの手術後に自己導尿を行うケースはあまり多くありませんが、必要だと医師が判断した場合は、きちんと指導を受けて実施できるようにします。

完全尿閉で自力ではまったく排尿できない場合は、約4時間ごとに導尿を行います。尿意があってもなくても定期的に導尿し、膀胱を収縮させることで機能回復に役立ちます。導尿を続けるうちに排尿機能が改善され、導尿が不要になることもあります。

導尿を行わないと、残尿によって膀胱炎などの尿路感染症が起こりやすくなったり、腎機能の低下を招いたりすることがあります。これを防ぐためには、自己導尿が必要なのです。

自然排尿ができるようになったら、そのあと導尿を行い、尿を出し切ります。残尿の量によって導尿回数は徐々に減らしていきます。

膀胱内の残尿が100mL以上なら自然排尿のたびに導尿を行いますが、残尿が50～100mLなら1日2～4回に、30～50mLなら導尿は不要になります。

なお、導尿が必要ではない軽度の排尿機能障害の場合は、膀胱の収縮を促す副交感神経刺激薬（コリン作用薬）や、尿道の抵抗を軽減するα（アルファ）遮断薬などの薬による治療が行われます。

性機能障害があるときの対処法

直腸がんの手術後に起きることがある

直腸がん手術で病巣摘出とともに周辺のリンパ節などを広く切除し、性機能をつかさどる自律神経までやむを得ず切除した場合、性機能障害が起こることがあります。

術後の心理的な影響も関与します。また、性機能には年齢的な要素も関与するため、特に中高年以上の男性の患者さんでは現れやすい傾向があります。自律神経を完全に温存した場合でも**約2～3割の男性に性機能障害がみられます。**

男性にも女性にもみられる

男性に起こる性機能障害は、神経の切除や損傷による男性器の機能障害です。勃起障害や勃起不全（ED）と、射精困難に大きく分けられます。勃起障害がある場合は、通常、射精も障害されます。また、性行為が可能でも射精困難となる場合や、心理的なものが影響していることも少なくありません。

女性の性機能障害も男性と同様で、進行がんで広範囲の切除を行い、自律神経までやむを得ず切除した場合です。肛門周辺の傷の痛みや、手術を受けた精神的なショックにより開脚しにくくなるケースもあります。

さらに、**気分の落ち込みや服薬によるホルモンバランスの変化、それにともなう性交痛などから性欲減退や不妊症が起こることがあります。**年齢によっては、更年期障害も関係してきます。

薬物療法や心理面の治療がすすめられることも

男性の性機能障害がある場合は、検査で勃起と射精の機能を調べます。機能に異常がなければ、薬物治療や心理面の治療がすすめられます。勃起不全はＥＤ改善薬で治療可能なこともあります。

しかし、射精障害の場合はＥＤ改善薬では治療できません。改善が困難なため、子どもを希望する場合は人工授精などの選択肢をすすめられることもあります。

女性の性機能障害は産婦人科医と連携しながら、状況に応じて不妊治療やホルモン療法、心理的な治療などが行われます。

性機能や性欲には精神面も大きく影響します。男性で勃起や射精の機能に問題がない人、女性で性器の異常がみられない人には、カウンセリングなどの心理的治療やパートナーの協力によって性行為がスムーズになることもあります。

術後の経過しだいで妊娠も可能

子宮や卵巣などの女性器が温存され、大腸がんの術後の経過が良好であれば、妊娠可能な年齢の人は妊娠できるようになります。

ただし、骨盤内の手術をした場合は卵管が周囲と癒着（ゆちゃく）するなどの障害が起こりやすく、不妊治療が必要になることもあります。

また、胎児への薬の影響を避けるため、抗がん剤による治療中は避妊するなどの注意点を守ります。

先生、教えて

Q&A

直腸がん手術後にＥＤ改善薬は効きますか？

直腸がんの手術で勃起をつかさどる自律神経を切除した場合は、どの治療薬も効果はありません。しかし、自律神経が温存されていれば、薬が効く可能性があります。

ＥＤ改善薬には、バイアグラ（一般名：シルデナフィルクエン酸塩製剤）、レビトラ（バルデナフィル塩酸塩）、シアリス（タダラフィル製剤）などの種類があります。

これらの薬には、使用上の注意があります。特にバイアグラは狭心症・心筋梗塞の治療薬との同時併用は禁止です。必ず医師に処方してもらい、適切に使用してください。

職場復帰への準備・復帰後に注意したいこと

受けた治療内容によって復帰までの日数は異なる

退院後、どれくらいで職場や学校に復帰できるかは個人差があります。**開腹手術の場合、退院から1か月程度で復帰できるケースもありますが、人によっては数か月以上かかることもあります。**

受けた手術の内容やその後に現れる症状、体力の回復具合などには個人差があるため、あせらずに復帰の時期を判断しましょう。

傷の痛みがなくなり、手術前と異なる食事や排便のペースに慣れてきたら外出の機会を増やしてみてください。外出をくり返すうちに、日常生活のさまざまな場面での対処法がわかってくるので、復帰が可能かどうかも自分で判断できるようになります。不安なら主治医に相談してみましょう。

職場に経過を報告し少しずつ通常勤務へ

職場復帰にあたっては、事前に職場の人たちにもある程度は手術後の経過を報告しておきます。トイレの回数が多いことや時間がかかることなど、最初にきちんと報告し、理解してもらったほうが安心して復帰できます。

復帰後は無理をせず、時短勤務か、職種によっては軽作業やデスクワークなどから始められるように話し合っておき、徐々に通常勤務に慣らしていくようにします。

職場復帰で気になるのが、通勤時のトイレ事情です。個人差はありますが、手術後数か月〜1年ほどは排便の状態が安定せず、急に便意が起こることもよくあります。途中駅や通勤経路にある利用できそうなトイレをチェックしておくとよいでしょう。

退院から職場復帰まで（一例）

退院

多くの場合は、手術から10日~1か月程度（手術の内容により異なる）

- 食事はおかゆから始め、早期にふつうのごはんに切り替える。
- 便の状態が安定していない。
- 傷が少し痛むことがある。

自宅療養

退院から数日~数週間は自宅で療養する（手術内容や体力低下の程度によっては数か月かかることもある）

- 手術後の便の状態に少しずつ慣れ、自分なりの排便のペースを覚えていく。
- 食品の種類を少しずつ増やして、様子をみる（何を食べると下痢や便秘が起こるかといったことは個人差があるので、個々に様子をみる）。
- 積極的にからだを動かし、体力の回復を図る。
- 手術後に変化した食事内容や排便の状態に慣れ、体力も回復してきたら外出の機会を増やしていく。

職場復帰の準備

復帰の時期は個人で判断するが、医師の意見も参考にする

- 外出時に職場の近くまで行ってみるなどシミュレーションをして、通勤可能か試してみる。
- 主治医に相談し、復帰を決定。必要に応じて、職場へ提出する診断書などを医師に書いてもらう。
- 職場の人に手術後の経過をある程度報告し、復帰の段取りを進める。

職場復帰

退院後、1か月~数か月（手術内容や体力の回復具合によっては半年以上かかることもある。また職種によっても異なる）

- 最初は軽めの作業から始め、徐々に通常勤務に戻る（ただし、おなかに力を入れる作業をともなう場合は、すぐに復帰するのがむずかしい場合もある）。
- 最初は時短勤務から始め、徐々に時間を延長して通常勤務に戻してもよい。

あせらず、体調を見ながら復帰しましょう。

コラム

「手術をする」ことは、からだだけでなく、こころにも大きな不安をもたらす

●カウンセリングが必要なことも

がんの手術がこころにおよぼす影響は決して小さくありません。手術直後は傷の回復の遅れや、これまでとは異なる排便の変化など慣れないことへの心配があれこれ尽きません。また、再発や転移の不安に加え、高齢の人では将来への不安を感じることもあるでしょう。

悩みがあるときは、遠慮せずに医師や看護師に相談してください。不安が強く、夜も眠れないという場合は、医師に相談すれば睡眠薬や精神安定薬を処方することもできます。こころの症状によっては精神科医や臨床心理士が対応し、カウンセリングなどの心理療法も行われます。

●できるだけふだんどおりに生活を

がんの手術を受けたという事実は、ありのままに受け止めることが大切です。しかし、そのことばかりをあまり深刻に考えすぎないようにしましょう。

からだの心配をするのは当たり前のことですが、気にしすぎるのは問題です。気持ちを切り替え、「ほどほど」を心がけます。手術で命拾いした、というくらいに前向きにとらえてみましょう。

●人と話すことが身体の回復に

できるだけ人と話す機会をもつことを心がけましょう。誰かと接することや話をすることで、肉体的にも精神的にも術後の不安定な状態から回復する手助けになります。

医師やカウンセラー、看護師などと話し、できるだけ不安を解消しよう。

第2章

手術後の補助療法を受けるとき

なぜ補助療法が行われる？

補助療法の目的は再発の予防

大腸がんの治療は手術が基本ですが、再発のリスクがある場合には、手術の効果をより高めるため、抗がん剤による化学療法や放射線療法が行われることがあります。

根治を目指し、手術でがんの切除に成功しても、画像検査などでも判別が困難な微小ながん細胞が残り、一定の頻度で再発が起こってしまうことがあります。がん細胞が残っていると再発のリスクが高くなるため、それらのがん細胞を死滅させる必要があります。再発させないためには、追加で補助療法を行う必要があるのです。

その方法には**手術前に行われる術前補助療法**と、**手術後に行われる術後補助療法**があります。術後補助療法はおもにステージⅢのがん、およびステージⅡで再発リスクの高いがんを対象に行われます。

日本では化学療法が中心

大腸がんの術後補助療法には、化学療法と放射線療法、その両方を組み合わせた化学放射線療法があります。

欧米では、結腸がんと直腸がんでそれぞれ選択される補助療法が異なり、結腸がんでは術後化学療法が行われ、直腸がんでは術前化学放射線療法がよく行われます。

一方、日本では結腸がんでも直腸がんでも違いはなく、どちらのがんに対しても補助療法では基本的には化学療法が行われています。理由は、**手術の治療成績が良好で、再発のリスクが欧米よりも低いから**です。

しかし、最近日本でも直腸がんの治療効果を高めるため、術前に化学放射線療法を行い、術後に、補助化学療法を行う頻度が増えてきています。

放射線療法は直腸がんのみに行われる

日本で放射線療法が行われるのはおもに直腸がんに対してです。

手術の前に行う術前照射や手術中に行う術中照射は、放射線照射によってがん細胞の活動を抑え、病巣の縮小を図り、肛門括約筋を温存することや生存率を高めることを目的として行われます。

術後の補助療法として行われる放射線療法は、骨盤内での再発予防を目的としています。

対象はおもに直腸がんで、がんを切った部分（外科的剥離断端）にがん細胞が残っている場合です。

術後補助療法の種類と特徴

化学療法	放射線療法	化学放射線療法
▶抗がん剤による治療。 ▶術後補助療法の中心は、ステージIIIのがんおよびIIで再発リスクが高いがんが対象。 ▶副作用が現れやすい。	▶病巣部に放射線を照射する。 ▶抗がん剤のような強い副作用が現れることはほとんどない。	▶化学療法と放射線療法の組み合わせ。 ▶日本では、術後補助療法としてこの治療法が行われることは少ない。

先生、教えて
Q&A

放射線療法で新たにがんが発生しませんか？

放射線には確かに発がん性が認められており、放射線療法のあと、照射部分にがんができることはまれにあります。

放射線の照射によって正常な細胞に損傷が生じ、10年以上経過したあとに異なるタイプのがんを誘発するのです。

しかし、放射線による二次発がんの発生率は1000人に1人程度なので、心配しなくてもよいでしょう。

術後補助化学療法にはどんな効果がある？

ステージⅢの患者さんにすすめられる

がんはステージが進行するほど、再発のリスクも高くなります。大腸がんで術後の補助化学療法の対象となるのは、ステージⅢの患者さんです。また、ステージⅡの患者さんでも再発の可能性が高いと判断された場合は、術後補助化学療法が行われます。

そして、術後補助化学療法の適応については、原則として以下の5つに当てはまることがガイドラインでは決められています。

- R0（アールゼロ）切除（肉眼的にも顕微鏡で確認しても腫瘍（しゅよう）を取り切ったこと）が行われた大腸がん（結腸がん・直腸がん）である
- 術後の合併症から回復している
- パフォーマンスステータス（全身状態をみる指標↓P153）が0～1である（まったく問題なく活動できるか、激しい運動は制限されるが軽い家事・事務作業などは行える状態）
- 肝臓や腎臓、骨髄など主要臓器の機能が保たれている
- 重篤な術後合併症（感染症や縫合不全など）がない

補助化学療法なら点滴とのみ薬がメイン

抗がん剤の投与方法は、どの薬を用いるかによって異なりますが、基本的には点滴か内服薬（のみ薬）になります。

点滴の場合は薬が直接血液中に入るため高い効果があり、一方、のみ薬は必ずしも入院しなくてもよいというメリットがあります。

ただ、**内服薬はのみ忘れをしない、休薬期間をきちんと守る**など患者さんが自分で服薬管理をしっかり行う必要があります。

[大腸がんの標準的な術後補助化学療法]

目的	手術後の再発予防、またはがんの進行を遅らせ、生存期間の延長を図る
治療対象	おもにステージⅢ以上の進行がん、またはステージⅡで再発するリスクが高いと考えられる場合
治療内容	抗がん剤の点滴や内服（経口投与）
治療期間	6か月
副作用	脱毛、吐き気、嘔吐、食欲不振、口内炎、下痢、手足の色素沈着、骨髄抑制（白血球や血小板の減少）、肝・腎機能障害などが起こることがある

先生、教えて

Q&A

抗がん剤治療は受けなければなりませんか？

抗がん剤については、副作用の強さなどから不安に思う患者さんも多く、手術を受けたのだから、できれば抗がん剤を使いたくないという人もいるようです。

ただ、やみくもに拒否するのではなく、まずは主治医がどのような目的で抗がん剤治療をすすめているのか、また、治療のメリット・デメリットについて説明をよく聞くことが大切です。心配な副作用についても医師に不安や疑問があれば、聞いてみてください。

納得できないことがあるときは、医師とよく話し合って、別の選択肢があるのか聞いてみましょう。大腸がんの手術後に抗がん剤治療をすすめられる場合は、ほとんどが再発のリスクが高い患者さんに対してです。再発を防ぐには抗がん剤治療が必要だと医師が判断しているのです。その目的を正しく理解してください。

しかし、術後の患者さんの全身状態によっては抗がん剤の副作用が重くなって、治療のメリットよりもデメリットが上回ることもあり得ます。こうした点も含めて、患者さんと家族でよく話し合って決めることが大切です。

治療期間は基本的に術後半年間

術後補助化学療法は、**手術のあと4～8週ごろまでには開始し、術後半年間を目安に行います。**

投与から次の投与までを「クール」と呼び、抗がん剤の投与後は一定の期間、薬を休止して、再び投与するパターンが一般的です。

休薬期間は正常細胞が抗がん剤の影響から回復する時間をとるためのもので、1～2週間とります。

補助化学療法は薬を組み合わせて使う

補助化学療法のおもな薬の組み合わせには以下のものがあります。

●CAPOX（カボックス）（またはXELOX（ゼロックス）） のみ薬のカペシタビン錠と点滴薬のオキサリプラチンを組み合わせる治療です。3週間1クールで、初日にオキサリプラチンの点滴後、カペシタビン錠を朝夕2回ずつ14日間服用し、その後は7日間休薬します。

●FOLFOX（フォルフォックス） フルオロウラシル、レボホリナート、オキサリプラチンの3種類の薬を組み合わせて行う治療です。

日本ではmFOLFOX6がよく行われており、初日にレボホリナートとオキサリプラチンを点滴し、この後にフルオロウラシルを1～2分間で点滴した後、46時間かけて投与します。

●5FU＋LV フルオロウラシルとレボホリナートの組み合わせです。1週間に1回、レボホリナートを2時間かけて点滴し、その

先生、教えて
Q&A

持病があります。抗がん剤治療を受けてもいいですか？

術後の補助療法などに抗がん剤による治療が行われるのは、進行を抑え、生存率と延命効果を高めるのが目的です。

糖尿病や高血圧、慢性腎臓病などがある場合、その治療薬によって抗がん剤の副作用が増強されるなどのデメリットもあります。また、持病のコントロールをしながら抗がん剤治療を行います。医師とよく相談し、治療方針を決めます。

投与開始から1時間後にフルオロウラシルを1～2分かけて点滴します。これを6週間くり返し、2週間休薬で、1クールです。

●UFT+LV　テガフールとウラシル+ホリナートの組み合わせ。どちらものみ薬で、1日3回食事前後1時間を避けて服用します。28日間連続で服用後、1週間休薬します。5週間で1クールです。

●S-1　テガフール、ギメラシル、オテラシルカリウムの配合剤を内服。朝夕の食後、1日2回を28日間服用し、14日間休薬します。これを1クールとします。

●カペシタビン　のみ薬です。1日2回、朝食後と夕食後30分以内に服用します。14日間毎日服用して、その後、7日間休薬します。これを1クールとします。

術後補助化学療法を受けるときに気をつけること

検査は必ず受ける

▼

重い副作用を起こさないように、指示された検査は必ず受ける。

主治医から薬についての説明を受ける

▼

薬の使用目的や使用法、副作用などについて、事前に主治医から十分に説明を受ける。

気になる症状は報告する

▼

治療中に気になる症状が出たら、すぐ主治医に報告する。

［ 補助化学療法の種類 ］

療法名	名称	
オキサリプラチン併用療法	CAPOX（カペシタビン、オキサリプラチン）	のみ薬+点滴
	FOLFOX（フルオロウラシル、レボホリナート、オキサリプラチン）	点滴
フッ化ピリミジン単独療法	カペシタビン	のみ薬
	フルオロウラシル+レボホリナート	点滴
	テガフール、ウラシル+ホリナート	のみ薬
	S-1（テガフール、ギメラシル、オテラシルカリウム配合剤）	のみ薬

（『患者さんのための大腸癌治療ガイドライン2022年版』大腸癌研究会・編（金原出版）より改変）

抗がん剤で起こる副作用とその対処法

副作用が起こる理由を理解する

抗がん剤治療で最も懸念されるのが、副作用の問題です。

抗がん剤は、細胞分裂が盛んな細胞に強い作用をおよぼす性質があります。がん細胞は正常な細胞よりも細胞分裂が活発なことから、抗がん剤が有効なのです。しかし、その作用は正常な細胞にもダメージを与えます。

副作用は細胞分裂のスピードが速い造血組織（骨髄）や毛根、消化器をはじめとする粘膜によく起こりますが、それ以外の組織に起こることも少なくありません。

近年は複数の抗がん剤を組み合わせて治療効果を高めることができるようになり、従来の抗がん剤の大量投与による重篤な副作用は起こりにくくなっています。

副作用はがまんせず早めに伝える

抗がん剤の副作用が怖い、症状がつらそうだから抗がん剤治療を受けたくない、という選択は避けたいところです。

最近では、抗がん剤の副作用に対する支持治療も進歩しています。支持療法とは、がんの症状や治療での副作用、後遺症などによる症状を軽くするためのケアのことです。

どんな副作用が現れるかは個人差がありますが、抗がん剤の種類によって起こりやすい副作用とその対処法はわかっています。

抗がん剤治療の開始前に主治医の説明をよく聞いて、理解しておきましょう。

治療開始後、気になる症状が現れたときはがまんせず、すぐ主治医に報告してください。

“下痢”のときは水分補給を忘れずに

下痢は最もよくみられる副作用です。下痢が重症化すると脱水によって腎不全を起こし、命にかかわることもあり、油断できません。1日10回以上の激しい下痢や、3日以上頻回の下痢（1日5回以上）が続くときはすぐに医師に報告してください。

下痢の治療には、下痢止めと整腸薬が処方されます。**脱水症状を起こさないように、温かいお茶や常温のスポーツドリンクなどを少しずつ頻繁に飲んで水分を補給します。**

腹部を温めると、腸の蠕動（ぜんどう）運動が鎮まるだけでなく、腸の活発な働きによる腹痛の緩和にも効果的

下痢がひどいときは

- 水分補給を忘れずに！
- 安静にする
- おなかを締めつけず、温める
- トイレに間に合わないときはポータブルトイレが便利

先生、教えて Q&A

副作用のない抗がん剤ってありますか？

最近は、がんに関連する遺伝子だけを攻撃する分子標的薬などが登場し、複数の抗がん剤を組み合わせて高い治療効果が得られるようになりました。自覚症状がなくても、白血球や血小板の減少、腎臓・肝臓の機能など検査をしないとわからない副作用もあります。

副作用がない抗がん剤はありませんが、症状には適切に対処することが可能です。

です。

食事は、温かく、栄養価が高いもの、消化のよいものを少しずつ食べます。抗がん剤の種類によっては、乳製品が禁止される場合があるので、必ず医師の指示を守ってください。

〝食欲がない〟ときは好きなものを食べる

抗がん剤による治療中には、食欲不振が起こりがちです。副作用により味覚が変化する、口内炎や吐き気・嘔吐などの症状があることも大きく影響します。また、精神的なストレスで食欲がなくなることもよくあります。

患者さんのなかには体力や体重が落ちることを心配しすぎて、無理にでも食べようとする人もいま

食欲がわかないときは

手軽に食べられるものを用意しておく

バナナやチーズ、栄養補助食品などを用意しておく。

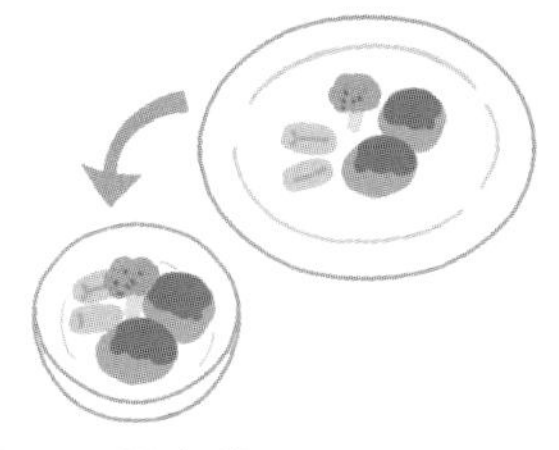

小さい器を使う

食べられる量に合わせた器に入れると、量の少なさが目立たない。

料理の盛りつけを彩りよくする

見た目の彩りをよく盛りつけることで、食欲がわくことも。

好きなものを食べる

プリンでもゼリーでもアイスクリームでも、自分の好きなものを食べる。

すが、それによって副作用の症状が悪化することもあります。

食欲がないときには、1日3回の食事にこだわる必要はありません。栄養バランスや摂取エネルギーを考えて、規則正しい時間に食事をしなければいけないと思いつめる人もいますが、無理は禁物です。そのときに食べられるもの、好きなものを食べる、というくらいの考え方でかまいません。水分多めの食事にすると、比較的食べやすくなります。

副作用が影響しているときは、**症状が比較的軽くなるタイミングを見計らって食べたいものを少しでも食べましょう。**

食事の支度をする家族も、無理に食べさせるようなことはせず、右図のように少しでも食べられる工夫を心がけましょう。

味覚の変化が影響しているときは、冷やしたり常温に冷ましたり、あるいは香りや酸味などで食べやすくなることがあります。

歯磨きやうがいが有効なこともあります。味覚の変化は一時的なこともありますが、長引くときは医師に相談してください。

〝口内炎〟は歯磨きやうがいで予防する

抗がん剤の作用によって舌や歯ぐき、頬の内側の粘膜などが傷つ

先生、教えて

Q&A

ワクチン接種はしてもいいですか？

がんの患者さんは、抗がん剤治療や放射線療法などによって免疫力が低下しています。そのため、感染症にかかりやすく、感染すると重症化するリスクがあります。そのため、インフルエンザや肺炎球菌、新型コロナウイルスなどのワクチン接種は、積極的に受けることがすすめられます。

ただし、ワクチンの効果を十分に得るには、接種の時期が重要です。また、副反応によって発熱や倦怠感などの症状が現れると、がんの治療に支障が出ます。そのため、接種の時期は主治医とよく相談して決めてください。

き、細菌などが感染するために口内炎ができることもよくあります。口内炎は抗がん剤の投与後、2～10日目ごろに現れ、白血球減少と重なると細菌感染を起こして、全身状態を悪化させます。

口内炎は、うがい薬や口腔内用の軟膏で治療します。口内炎自体は必ず治りますが、粘膜が再生するには時間がかかります。そのため、抗がん剤の治療開始前から予防対策をとります。

毎食後30分以内と就寝前には必ず歯磨きをします。粘膜を傷つけないようにやわらかいブラシを使用し、舌や歯ぐき、粘膜を強くこすらないように注意します。

むし歯がある人は治療開始前に歯科で治療しておきましょう。

口内炎で痛みがあるときは、医

吐き気・嘔吐がひどいときは

薬を出してもらう
必要に応じ、症状をやわらげる薬を処方してもらう。

医師に相談する
がまんせずに医師に相談し、精神的に安心感を得ることも大切。

不快になる原因を遠ざける
特定のにおいなど、不快になりそうなものはできるだけ排除する。

吐いてしまったら口をゆすぐ
吐いてしまったらすぐに水で口をゆすぐ。氷を口に含むとさっぱりする。

師に鎮痛薬や口腔内軟膏を処方してもらいます。食事は熱いものや硬いもの、辛いものなどの刺激物は避けます。

"吐き気""嘔吐"は症状をコントロールすることが大事

吐き気と嘔吐(おうと)は、抗がん剤の副作用としてよく知られています。抗がん剤が脳の嘔吐中枢やその受容体を刺激したり、食道や胃の粘膜を損傷したりすることが原因だと考えられています。

吐き気・嘔吐は、抗がん剤の治療開始直後から24時間後までに起こる「急性嘔気(おうき)」、治療開始後24～48時間ごろから起こり、2～5日続く「遅発性嘔気」、そして、抗がん剤治療で吐いた経験があり、抗がん剤に対する嫌悪感によって引き起こされる「予測性嘔気」の3タイプがあります。

タイプに応じた吐き気止めの治療薬があり、また、吐き気・嘔吐を起こす可能性がある抗がん剤を使用する際には、吐き気止めの制吐剤を組み合わせて使い、吐き気が起こらない、起きにくくする工夫をします。

吐き気でのみ薬が使えない場合は坐薬で対応できるので、吐き気や嘔吐が強い患者さんは遠慮しないで医師に相談しましょう。

抗がん剤治療の日は食事量を少

先生、教えて Q&A

かぜなどで別の病院にかかってもいいですか？

患者さんがかぜだと思っていても、実際には抗がん剤による副作用やがんによる症状の可能性があります。このような場合に備えて、主治医に受診すべき症状と、あまり心配のいらない症状について確認しておくと安心です。

ちょっとした体調不良のときに、がんの治療中であることを理解したうえで診察をしてもらえるかかりつけ医がいると心強いものです。

医療連携ネットワークで大きな医療機関と地域の診療所が連携していることもあるので、主治医に相談してみましょう。

なめにして、数時間前には飲食を避けると吐き気や嘔吐を軽くできます。不快な原因があれば、それらを取り除く工夫も必要です。

〝貧血〟などが見つかったら 症状に合った対応を

貧血は骨髄抑制による影響です。骨髄は細胞分裂が盛んであるため、抗がん剤により骨髄で赤血球をつくる働きが低下すると、酸素を運搬するヘモグロビン量が減少し貧血になります。貧血が現れる時期は個人差があり、治療開始から数週間～数か月後によくみられます。また、抗がん剤による食欲不振で鉄不足が重なると、鉄欠乏性貧血も併せて起こることがあります。

貧血が軽症の場合は皮膚や唇、まぶたの裏などが青白くなることがありますが、症状がないことも。重度の貧血になり酸素の供給量が低下すると、動悸(どうき)や息切れなどが現れます。脳などへの酸素供給が減ると、耳鳴りやめまい、全身の倦怠感、頭痛などが起こるようになります。

治療には、鉄剤やビタミンB_{12}製剤が用いられます。ヘモグロビン値が8g／dL未満になった場合は、赤血球輸血を行います。

貧血以外に、血小板減少や白血球減少も起こりやすくなります。血小板減少は出血のリスクを高め、粘膜や皮下、鼻からの出血のほか、重症の場合は脳出血の危険もあります。白血球減少は免疫力低下を招き、感染症のリスクを高めます。血液検査で数値を定期的に確認し、数値に応じて対策がとられます。

〝尿の量が減る〟〝むくみ〟には 水分補給を忘れずに

腎臓には体内の老廃物を体外に排出し、血液を浄化する働きがあります。そのため、腎機能に障害が起こると命にかかわることもあります。大腸がんの治療に用いられる抗がん剤で腎障害を起こしやすいのは、再発時に使われるオキサリプラチンや分子標的薬の血管新生阻害剤ですが、比較的腎障害のリスクは低いとされています。

腎障害が進行して腎不全になると、尿量の減少やそれにともなうむくみが現れます。重症化すると心不全や呼吸困難、意識障害が起こることがあります。基本的には腎機能の数値を検査で確認するため、それほど悪化することはありません。しかし、高齢者やもともと腎機能が低下している人は腎不全のリスクが高く、要注意です。

対策として、抗がん剤の投与前後に電解質輸液の点滴を行い、水分を補給します。また、自分でもこまめに水を飲むように心がけることも大切です。

むくみや尿量の減少があるときには、尿を出すための利尿薬が用いられることがあります。

"脱毛"は治療後に元に戻る

髪の毛などの体毛の成長にかかわる毛根の毛母細胞は活動が活発なため、抗がん剤の影響を受けやすく、脱毛が起こります。

脱毛は抗がん剤治療を受けている患者さんに比較的多くみられる

脱毛が気になったら

髪を清潔に保つ

中性のシャンプーでやさしく洗い、髪を清潔に保つ。

帽子などで頭皮をカバーする

露出した頭皮に直射日光を当てるのはNG。帽子やバンダナで。

医療用ウィッグを使う

ウィッグで好きなヘアスタイルを楽しむこともできる。

髪型をベリーショートにする

髪が短いと抜け毛の片づけもしやすく、脱毛の喪失感も少しやわらぐ。

副作用で、大腸がんの治療ではイリノテカンによって起こる頻度が高いといえます。

一般に、治療開始から2～3週間後に脱毛が始まり、抗がん剤の投与中は徐々に進行して1か月ほどでかなり脱毛が目立つようになります。髪が抜け始めるときに、頭皮が引っ張られるような痛みやかゆみを感じることもあります。

急激に「バサッ」と抜けることもあり、びっくりされることもあると思いますが脱毛は一時的な症状であり、抗がん剤治療が終われば、3～10か月後には生え始めます。とはいえ、患者さんにとっては容貌の変化が大きく、精神的なショックを受ける人も少なくありません。

脱毛の対策としては、55ページ図のように**医療用ウィッグや帽子、バンダナなどを活用**しましょう。

眉毛やまつ毛が抜けると、顔の印象が変わってしまいます。アイブロウで眉毛を描き、まぶたにはアイシャドウを使うなどメイクで多少はカバーできます。外出時にはフレームの太いファッションメガネをかけるのもよいでしょう。

鼻毛が抜けると鼻水が出やすくなったり、鼻の粘膜が乾燥して粘膜が刺激されて痛くなったりすることがあります。この場合はマスクを着用すると乾燥を防げます。

“手足のしびれや痛み”には早めの治療が肝心

抗がん剤によって末梢神経が障害されると、手足のしびれや痛みが現れることがあります。大腸がんの治療では、オキサリプラチンの使用によってよくみられます。

抗がん剤投与後2～3週間ごろから手足の指先の違和感や、足の裏にジンジンする感じがします。冷たいものに触るとしびれることもあります。こうした症状は抗がん剤治療の回数が増え、期間が長くなるにしたがって強くなったり、広がっていったりします。やがて、症状が消えにくくなります。

足のしびれは力が入りにくくなって転倒の危険があるため、階段などを使わないようにします。また、冷えて血行が悪くなるとしびれが強くなる人もいます。**寒い時期にはからだを冷やさないように手袋や靴下で保温**します。

治療には薬物療法を行いますが、しびれに関しては有効な治療がなく、改善するまでに数か月～1年以上かかることもあります。

あらかじめ、予防的に薬物療法を行うことで、しびれが軽く済むこともあります。しびれの症状に気づいたら早期に医師に報告してください。場合によっては抗がん剤治療を一時的に休んだり、抗がん剤の量を減らしたりします。

"手足の先が黒っぽく"なっても薬はのみ続ける

フルオロウラシル（5FU）では、手指の先が黒っぽくなる色素沈着の副作用がよく起こりますが、この症状だけなら治療は継続します。治療が終われば、皮膚の色は少しずつ改善されます。

ただし、症状が進んで顔やからだも黒ずみ、指先の皮がむけたり、ひび割れて出血したりするような場合は、薬の量を減らすか、一時的に治療を中止します。

カペシタビンは手足の指先が赤くなったり、皮がむけたり、割れたりすることが多く、予防的に軟膏を塗るようにします。

"便秘"や"疲労感"、"高血圧"などの副作用も

抗がん剤の副作用として、便秘や疲労感、倦怠感が起こることもあります。補助化学療法では使用しませんが、最近登場した分子標的薬には高血圧や心不全、動静・脈血栓塞栓症などの副作用が報告されています。

早めの対処が必要なこともあるため、気になる症状はすぐに医師に報告してください。

先生、教えて Q&A

手術後に代替療法をしてもいいですか？

代替療法とは、手術や抗がん剤による化学療法、放射線療法などの標準治療以外の方法で、治療を補完しようとするものです。たとえば、免疫細胞療法や鍼灸、精神療法、サプリメント、健康食品などがあります。

しかし、代替療法によってがんが小さくなるとか、治るという医学的なデータはありません。怪しい治療法に大金を注ぎ込むのは避けるべきです。

コラム

再発への不安を克服するには

●定期検診で再発の有無をチェックする

がんがほかの病気と大きく違う点は、いったん治療が終わっても、常に再発の不安がつきまとうことです。

治療が終了して退院したあとも、再発の不安と向き合いながら暮らしていかなければなりません。

再発が不安なあまり、不眠や動悸、うつ状態などの症状を引き起こすこともあります。

こうした事態を避けるには「自分は大丈夫だ」という自信をもつことです。その自信を根拠あるものとするために定期検診を受け、再発の有無を確認し続けます。

●うつ状態などが強いときは精神神経科へ

再発への不安が解消できず、うつ状態や不眠などこころの病気が疑われる症状が強まった場合は、できるだけ早く精神神経科で治療を受けましょう。

医師や臨床心理士によるカウンセリングでは患者さんの不安や複雑な心境を聞き取り、精神的なサポートをしてくれます。

同じ悩みをもつ人たちと話し合うグループ療法も、不安の解消に役立ちます。また、がん患者の会に参加したり、入院中に交流のあった人たちと会って近況を語り合ったりするだけでも気持ちが楽になるものです。

入院中には医療スタッフや周りに自分と同じがんと闘っている人が近くにいるので、孤独や不安はある程度解消できます。

しかし、家庭に戻ると自分以外は健康な人ばかりで、患者さんは疎外感を強く感じます。周囲の人は、患者さんの気持ちをよく理解し、支えてあげましょう。

第3章

ストーマ（人工肛門）をつけたとき

慣れれば手術前と同じ生活ができる

ストーマとは人工的な排泄口のこと

ストーマとは、便や尿の人工的な排泄（はいせつ）口をさします。便を排泄する人工肛門には、小腸（回腸）のイレオストミーと大腸（結腸）のコロストミーがあります。一般にストーマという場合は、便を排泄する人工肛門のことです。

医師の説明をよく聞いてストーマと上手につき合う

直腸がんのため、肛門を含めて直腸を切除する手術（直腸切断術）を受けた人は、**手術後は腹部につくられたストーマ（人工肛門）から便を排泄する**ことになります。事前に医師からの説明があるので、よく聞いて、十分に理解しておきましょう。それがストーマと上手につき合う第一歩です。

ストーマは、左図のように腸を腹壁に直接縫いつけて誘導します。おなかには人工的な孔（あな）ができ、そこにストーマ装具（パウチ）をつけて便を受けます。

最近の装具は品質も向上し、便の漏れが起こりにくい構造になっているので、安心して使えます。

医師や看護師の指導でケア方法をマスターする

手術で直腸を切除したあとは、腸内で消化吸収を終えた排泄物は便意がないまま自分の意思とは関係なく、便として排泄されます。

そこで、排泄物を定期的に捨てて、ストーマ周辺を清潔に保つ「ストーマケア」が必要になります。当初は戸惑うかもしれませんが、手術直後から医師や看護師らが指導してくれるので心配はいりません。**慣れてくれば手術前と同じように過ごすことができます。**

ストーマのしくみと特徴

しくみ

- ストーマには孔が1つの単孔式ストーマと孔が2つの双孔式ストーマがある。
- 直腸切断術後の人工肛門造設術（肛門まで含めて直腸を切除する手術）では、結腸の一部（S状結腸）を下腹部に導いて人工肛門（単孔式ストーマ）をつくる。

単孔式ストーマ

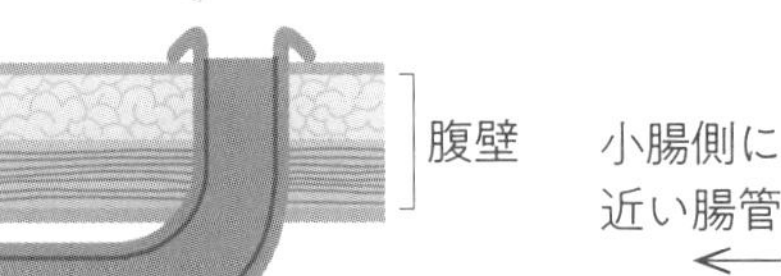

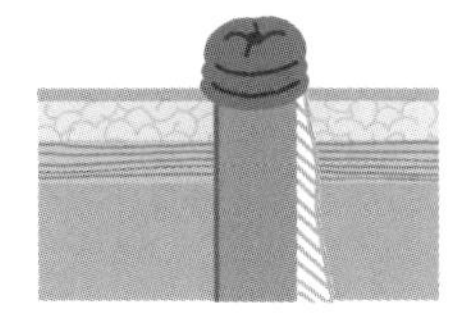

直腸切断術などの場合に造られる代表的な永久的人工肛門。

双孔式ストーマ

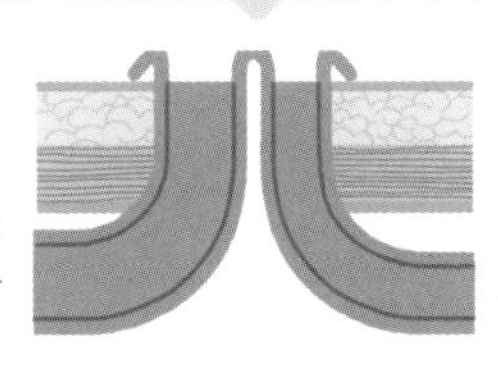

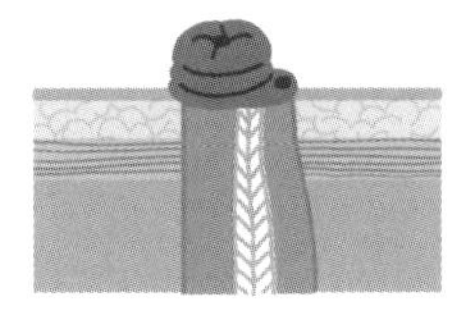

緊急手術や縫合不全などの場合に一時的につくられることがある人工肛門。

特徴

- 粘膜なのでピンク色をしている
- 常に粘液や腸液が分泌されている
- からだの内部から外部に向かって圧力がかかっている→入浴してもお湯は入らない
- 腸管を運ばれてきた便はストーマから排出される
- 神経がないのでさわっても痛くない
- 便意が感じられない

自分に合ったストーマ装具を選ぼう

ストーマ装具には防臭・防水加工がされており、**においや液体成分が漏れ出て衣服を汚す心配はありません。**ただし、装具の形状やサイズ、装着方法が適切でないと、漏れることがあります。そのため、専門の資格をもつ看護師（WOC看護認定看護師）に相談して自分に合う装具を選び、**正しい装着方法を身につける**ことが大切です。

ストーマ装具は一度正しく装着すれば、数日間使用が可能です。袋に便がたまったら適宜トイレなどで捨て、3～5日ごとに交換するのが一般的です。装具の交換時には、必ずストーマ洗浄を行って皮膚を清潔に保ちます。

ストーマ装具の種類はおもに2つ

ワンピース型装具（単品系）

面板とストーマ袋が一体になっているので、着脱の手間が少なく簡単。

ツーピース型装具（二品系）

面板とストーマ袋が分かれているので、面板を貼ったまま袋の向きを自由に動かせる。

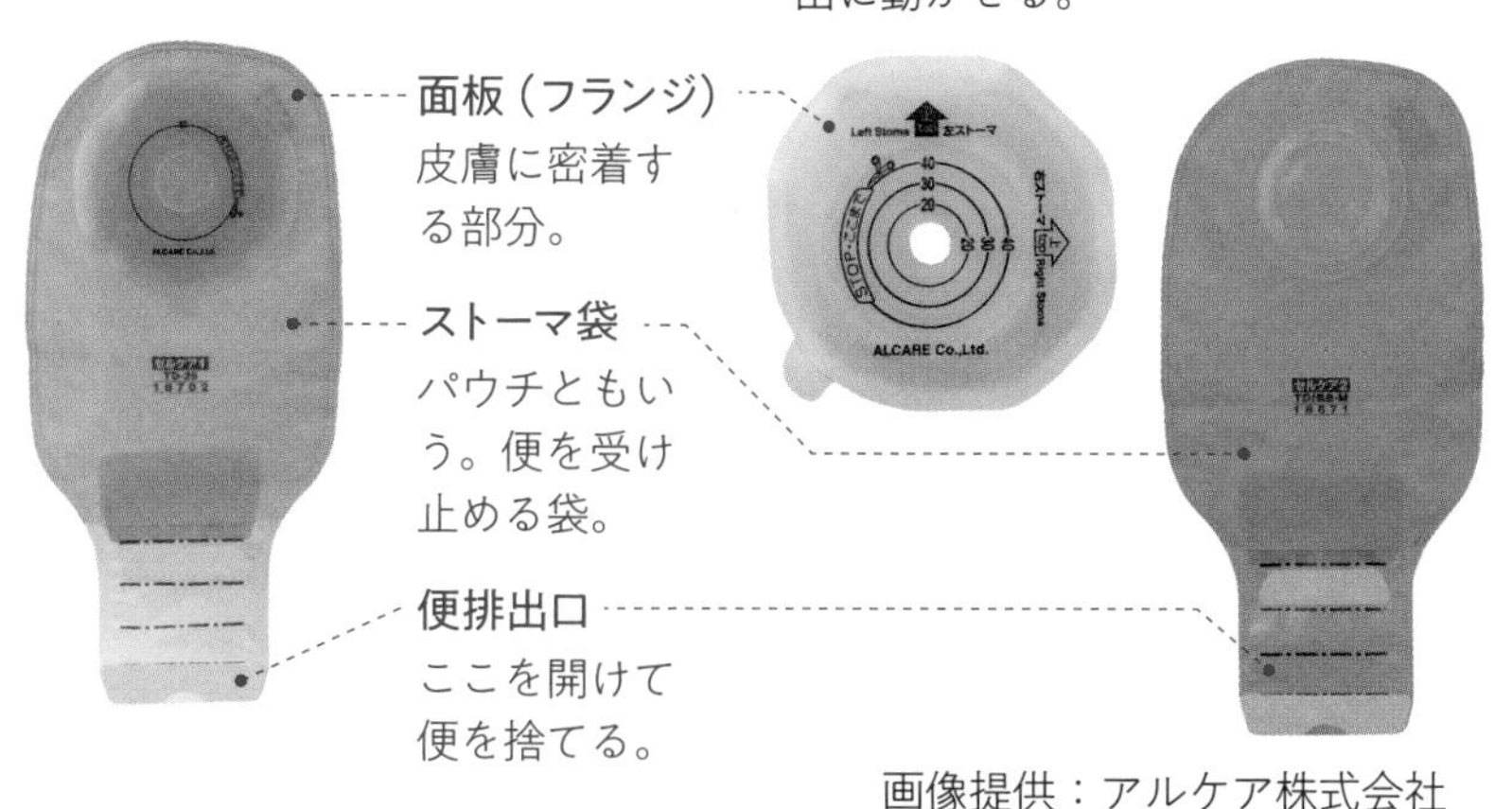

画像提供：アルケア株式会社

＊ストーマ装具は使い捨て。使用済み装具の処理については71ページ参照。

ストーマ装具の交換のしかた

用意するもの

- 洗浄清拭剤または石けん
- ガーゼ
- お湯
- 替えのストーマ装具
- 剥離剤（リムーバー）
- ゴミ袋　　　　など

注意！

- 消毒はしない
- ドライヤーは使わない

〈 装具をはずす 〉

1 装具の面板をはがす

石けんを使い、流水で手指を洗ってから行う。皮膚を強く引っ張らないように、剥離剤（リムーバー）を用いて、ゆっくりと少しずつ装具の面板をはがす。

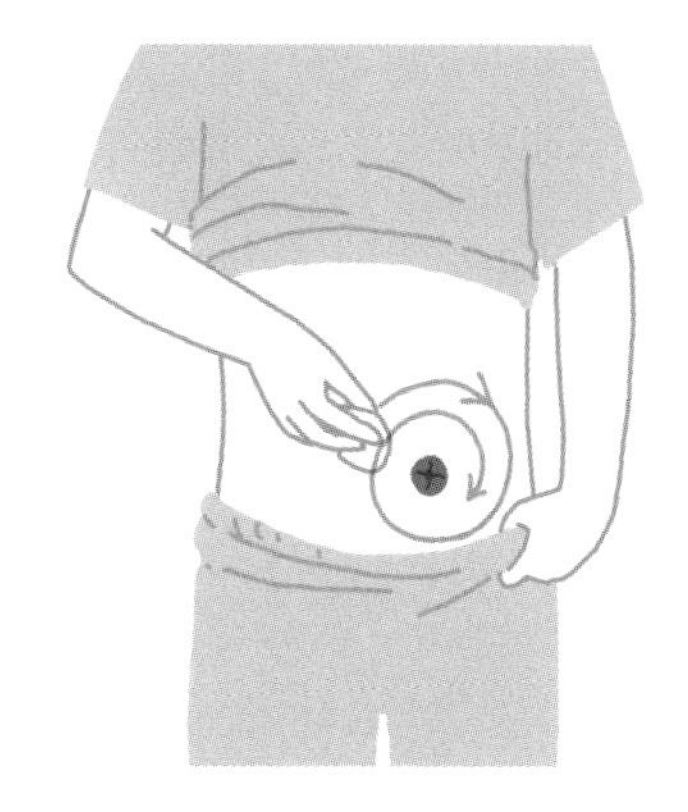

2 周囲の皮膚を洗浄する

石けんまたは洗浄清拭剤でストーマ周囲の皮膚をやさしく洗う。皮膚に付着した装具の粘着剤がとれたらお湯で濡らしたガーゼか手指を使い、石けん成分を完全に落とす。

〈 装具をつける前の準備 〉

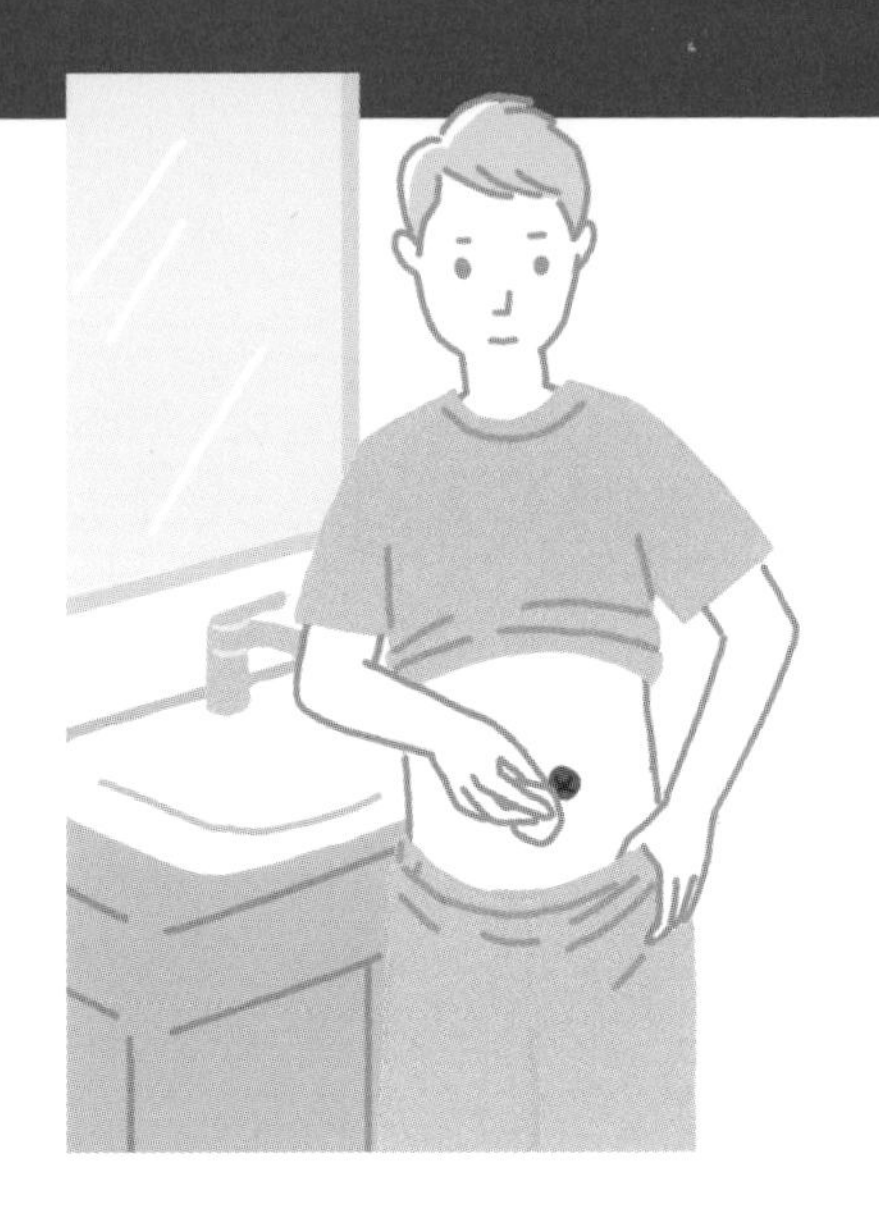

3 周囲の皮膚を乾かす

乾いたガーゼでそっとやさしく水分を拭き取り、周囲の皮膚をよく乾かす。消毒の必要はない。また、ドライヤーを使って乾かすのは禁止。

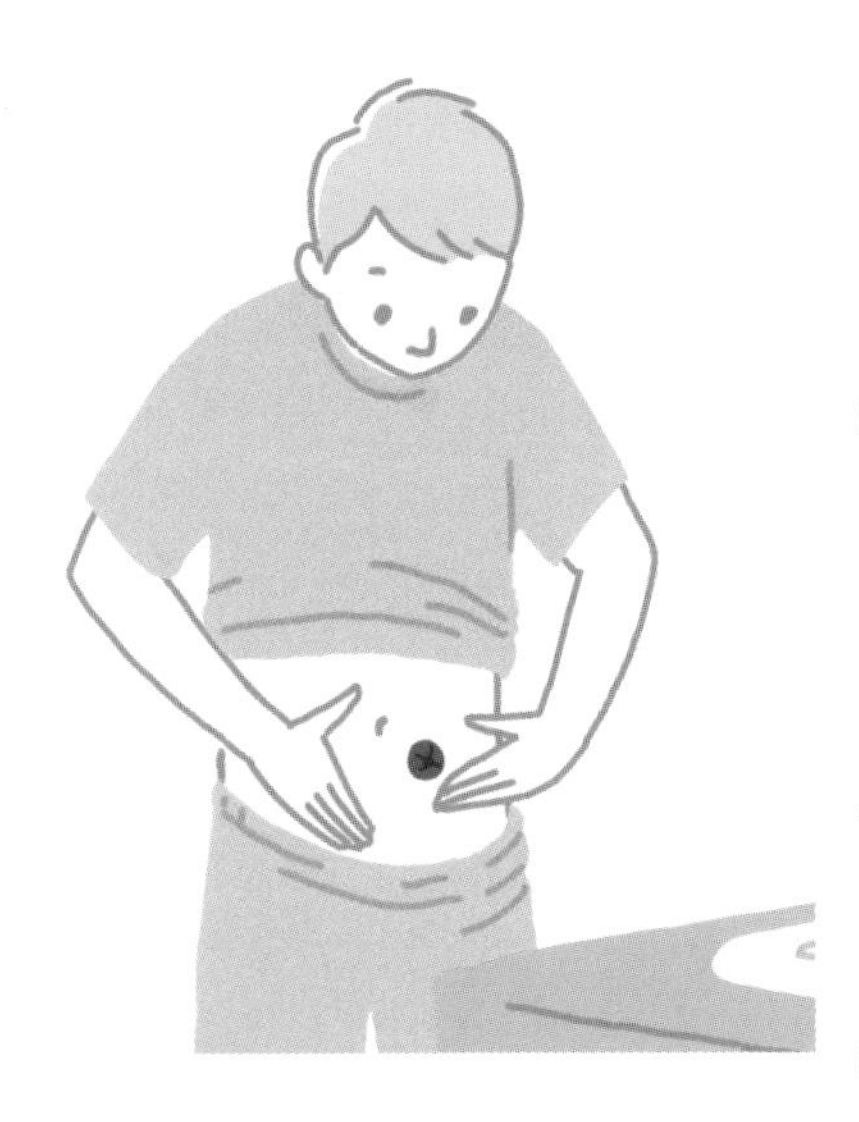

4 ただれなどがないかよく観察する

ストーマとその周囲をよく観察し、かゆみやただれ、腫れなどがないかチェックし、異常があれば手当てする。ストーマ周辺の皮膚に凹凸やシワ、たるみ、ゆがみなどがあると、便が漏れる原因に。パテ（粘土状の材料）やウエハー（面板状の材料）などを使って自分で補正できる場合は、補正しておく。

面板がフリーカットだったらカットしておく

ツーピース型の場合は、自分のストーマのサイズに合わせて面板の孔をフランジカッターやハサミでカットしておく。

ストーマ装具の交換のしかた

〈 装具をつける 〉

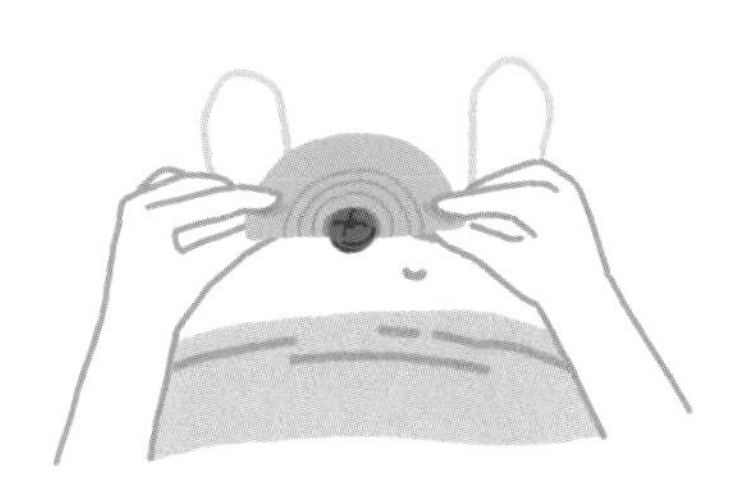

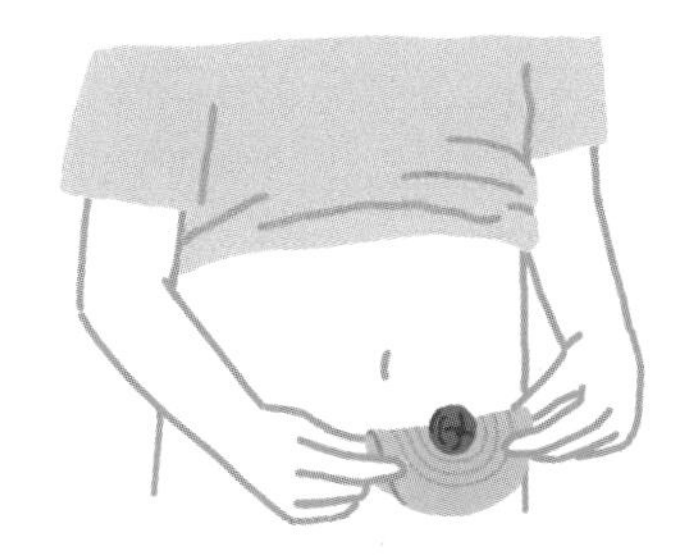

5 ストーマの下縁と面板の孔が接するように合わせる

新しい装具の面板の裏紙をはがし、粘着面に触れないようにしながら、ストーマの下縁が面板の孔に接するように合わせて、下から上に向けて、ずれないようにていねいに面板を貼り付ける。

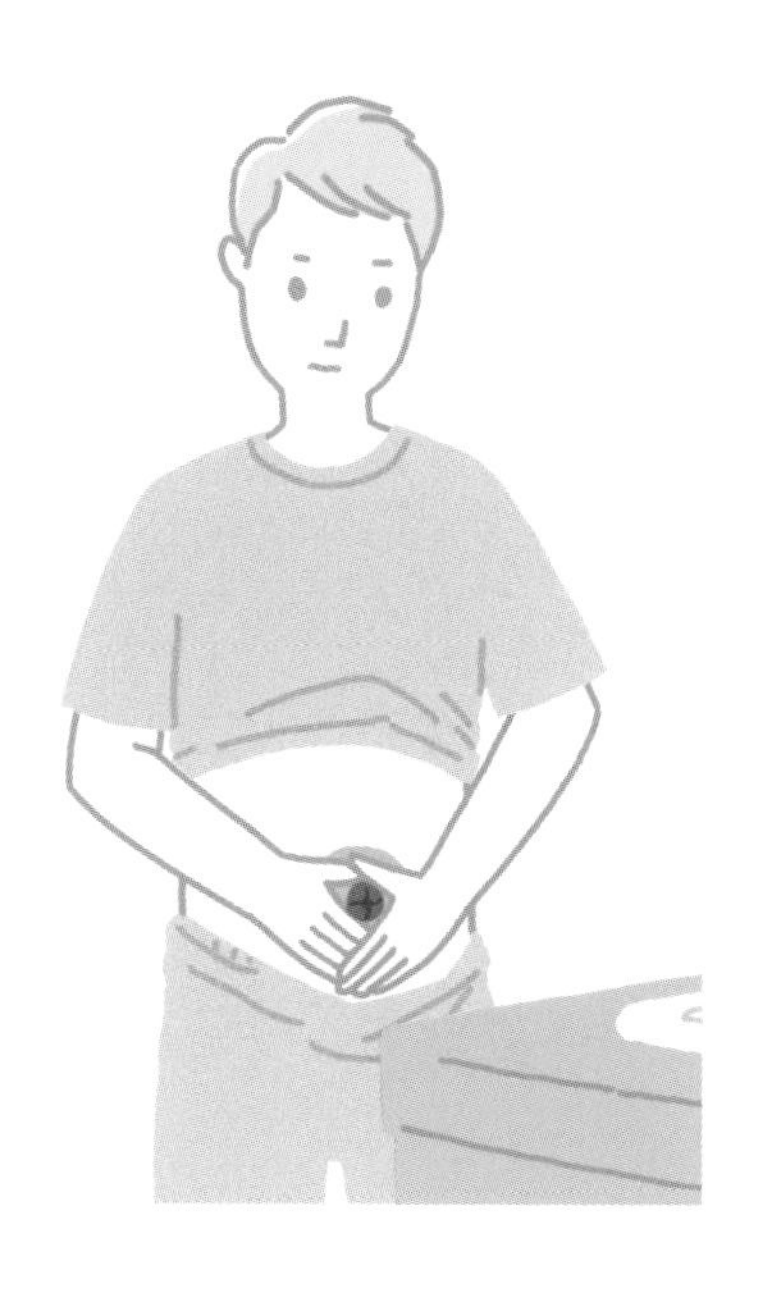

6 人肌で温めて密着させる

ストーマ袋を貼り付けて密着させる。面板に手を当てて、体温で温めると皮膚に密着しやすくなる。5分ほどしっかり押さえておくとよい。その後、ストーマ袋内の空気を抜き、底をクリップ（排出口閉鎖具）で留める。

＊必要に応じてベルトやテープなどで装具の固定を補助する

皮膚のトラブルを解消するには

適切なスキンケアでトラブルを予防する

ストーマ装具は皮膚に密着させるため、人によっては肌が赤くなったり、ただれたりするなどのトラブルが起きることがあります。

こうした皮膚トラブルのおもな原因は以下のとおりです。

①汗や排泄物の付着
②粘着剤や皮膚保護剤などの接触
③不適切な装具交換（皮膚に密着した面板を無理やりはがす、こするなど）
④細菌感染（汗や排泄物の接触で周囲の皮膚が不衛生になる）

皮膚トラブルを防ぐには、ストーマ周辺を清潔に保つこと。また、肌に合わない粘着剤や皮膚保護剤の使用を避け、皮膚をこすったり引っかいたりしないようにします。

装具交換時には、剥離剤（リムーバー）を使って面板を剥がし、粘着剤などの汚れを石けんでよく落としておくことも大切です。

かゆみやただれがあればすぐ医師に相談

ストーマ周辺の皮膚のかゆみや赤みを放置するうちに、やがて血がにじんだり、化膿したりして、痛みが生じることがあります。こうなると装具をつけるのが困難になるので、**皮膚に異常が現れたらできるだけ早く「ストーマ外来」を受診**し、治療を受けます。

ストーマ外来では、医師の診察が必要ないときでも、WOC看護認定看護師らがストーマに関するさまざまな相談にのってくれます。

最寄りのストーマ外来を検索するには、「一般社団法人日本創傷・オストミー・失禁管理学会」のホームページ（→P168）から検索できます。

ストーマ周辺に皮膚トラブルが起きたら

症状	対処
便が漏れてかぶれた	●装具のはがれを防ぐ ●接着面のシワやくぼみにも注意。必要に応じて皮膚保護剤を使う ●便の廃棄や装具交換が遅れないようにする（装具交換は３～４日が目安） ●漏れた便はきれいに拭き取り、皮膚を洗浄する
ストーマ周辺が赤い、腫れる、痛む	●粘着剤や皮膚保護剤が肌に合っていない ●交換時に無理やりはがさない ●はがれにくくても引っかかない ●剥離剤（リムーバー）を使って剝がす
ストーマ周辺が傷ついている	●交換時に無理やりはがさない ●はがれにくくても引っかかない ●はがしやすくする工夫として、石けんをつけたガーゼや剥離剤（リムーバー）を使うのもよい
ストーマ周辺に湿疹がある	●あせもがないかチェックする ●汗をかきやすい人はよく洗う ●夏場などはふだんより早めの間隔で装具を交換する ●かゆみのある湿疹が広がる場合は、真菌感染（カンジダ症など）の可能性があるため、早めに受診する

ストーマ造設術から時間が経って、太ったりやせたりして体型が変わると、それまでの装具が合わなくなって便漏れが起きやすく、皮膚のトラブルも増えるので要注意。早めにストーマ外来を受診し、体型に合った装具に替える必要がある。

敏感肌には粘着剤や皮膚保護剤の使用前テストも

ストーマ装具の粘着剤には、装具の脱落を防ぐ役割があります。また、ストーマの種類によっては皮膚保護剤が使用されているものもあります。

皮膚保護剤には、便が直接皮膚に付着するのを防ぐ、汗や水分を吸収する、皮膚表面のpH（ペーハー）を弱酸性に保つ、細菌の繁殖を抑える、ストーマ袋との密着度をより高め、便の漏れを防ぐといったさまざまな働きがあります。

しかし、粘着剤や皮膚保護剤が肌に合わず、トラブルの原因になる場合もあります。そのため、特に敏感肌の人は、使用前に「パッチテスト」を行っておきましょう。

粘着剤や皮膚保護剤を小さく切って二の腕の内側などに貼り、1～2日様子をみます。貼った部分の皮膚が赤くなったり、かぶれたりしたら肌に合っていないと判断します。肌に何も異常がなければ、使っても大丈夫でしょう。

粘着剤や皮膚保護剤にはいくつか種類があります。敏感肌でかぶれやすい人は、パッチテストでいくつか試してみたいことをストーマ外来の医師や看護師に相談するとよいでしょう。

ストーマの粘膜も毎日よく観察する

装着面の皮膚トラブルやストーマの異常を早期発見するため、以下の点に注意してストーマと周囲の皮膚の観察を毎日行います。

①ストーマ自体の色や形に変化がないか
②黒ずみや出血がないか
③周辺の肉が盛り上がっていないか
④異常な分泌物がないか

ストーマはもともと結腸（大腸全摘出の場合は小腸）の末端をおなかから出してつくられた便の出口ですから、その表面はピンク色の腸の粘膜そのものです。

粘膜なのでいつも表面には腸液などの分泌液があり、ある程度潤っています。また、健康な状態であれば、ストーマ自体に痛みを感じることはありません。

異常をいち早く発見し、すぐに対処するには、ふだんの健康なストーマの色や表面の様子をよく覚えておくことが大切です。

ストーマ周辺のチェックポイント

装具

- □面板の開口部はストーマより少し大きいか
- □粘着剤などが肌に合っているか
- □汗や便で汚れていないか
- □袋に便がたまりすぎていないか

ストーマ（人工肛門）

- □色や大きさ、弾力、潤いはいつもどおりか
- □出血はないか
- □異常な分泌物はないか
- □傷はないか
- □表面にブツブツはないか

周辺の皮膚

- □赤みはないか
- □かゆみはないか
- □腫れていないか
- □傷はないか
- □痛みはないか

先生、教えて Q&A

情報交換できる患者会があると聞きました

ストーマを造設した患者さんにとって心強い味方となるのが、「オストメイトの会」です。

大腸がんをはじめ、病気や事故などでストーマ（人工肛門や人工膀胱など）をもつことになった患者さんを「オストメイト」と呼びます。その患者さんの集まりが「公益社団法人日本オストミー協会」（→P168）です。オストメイトが中心となって運営しており、医師や看護師、ストーマ装具メーカーなど、ストーマケアの専門家が参加して情報を発信しています。

各都道府県には支部があり、ストーマケアに関する情報交換や相談の受けつけなども定期的に行っています。

特に、オストメイトにとって大きな問題である外出時や災害時の不安、また高齢期の介護にともなう不安の解消に努める取り組みが積極的に行われています。

入会すると、ストーマに関する正確な情報をいち早く知り、アドバイスを受けることができます。

協会ホームページでは、生活に関連する各種情報を閲覧することも可能です。

排泄の処理には2つの方法がある

自然排便法は自然に排出される便をためる方法

ストーマがある人の排便方法には、「自然排便法」と「洗腸排便法」の2つがあります。

ストーマが腸のどの位置に造設されているかによってどちらの排便法が適しているかが変わるため、医師の説明をよく聞いてから決めるようにしましょう。

一般に、回腸（小腸）ストーマや上行結腸ストーマ、横行結腸ストーマの人は洗腸排便法が適さないため、自然排便法がすすめられ

自然排便法の手順

1 ストーマ袋のクリップをはずす

ストッパーを押してから引き下げ、クリップをはずす。

↓

2 便を排出する

袋の先端を外側に折り返して便を出す。先端に付着した便はトイレットペーパーなどできれいに拭き取る。

便はトイレの便器か、オストメイト対応の排泄物流し台へ流す

↓

3 クリップを閉じる

袋の先端を元どおりにしてクリップを閉じる。

注意！

- 便が袋の３分の１以上になったら捨てる
- 排出処理時に袋の先端の折り返しを忘れない（袋の外側や手に便が付着するのを防ぐため）
- 装具は交換時に使い捨てる（無理に洗って再利用すると、においや漏れの原因になる）

ています。下行結腸ストーマやS状結腸ストーマの人は、自然排便法も洗腸排便法も可能です。

自然排便法は、おなかに装着したストーマ袋に、**腸管から自然に排出される便をためておき、適宜捨てる方法です。**体力のない人にも無理なくできる基本的な方法です。

自然排便法も洗腸排便法もそれぞれ長所・短所があり、一概にどちらがよいとはいいきれませんが、まずはどんな場合でも対応できる自然排便法をマスターしておくことが必要になります。

自然排便法の注意点としては、袋の中に便がたまりすぎると、袋がその重みに耐えられない可能性があります。漏れる心配があるため、袋の3分の1以上になったらトイレなどに捨てて処理します。

洗腸排便法は強制的に腸内の便を排出させる方法

洗腸排便法とは、ストーマから腸内にぬるま湯を入れて腸を刺激し、浣腸のように強制的に腸内の便を排出させる方法です。

一般に、下行結腸やS状結腸にストーマを造設した人で、自然排便法がきちんとできている人は洗腸排便法が可能です。

この方法は、1～2日に1回程度、自分の都合のよい時間帯を選んで定期的に行います。洗腸によって便を出すと多くの場合、洗腸時以外の排便がなくなります。

ただ、特殊な器具を使用するため、医師の許可と専門的な指導を受ける必要があり、自然排便法も習得しておくことが条件です。

約1時間座った状態で強制的に排便するため、時間に余裕がある人でないと適しません。無理をするとおなかが張って痛くなったり、気持ちが悪くなって体調をくずす心配もあります。

さらに、体力のない人や体調の悪いとき、腸の状態が適応しない人には許可されません。

使用済み装具はゴミ袋に入れて捨てる

ストーマ袋の中の便は、必ずトイレに流します。装具表面に便が付着したら、きれいに拭き取ります。その後、新聞紙などに包んで、ゴミ袋に入れて捨てます。

通常は燃えないゴミに分類されますが、地域によって異なるので、各自治体に確認してください。

洗腸排便法の手順と注意

〈 準備するもの 〉

- 洗腸用キット（洗腸液袋、チューブ、スタンドなど）
- 洗腸用装具、ぬるま湯（37～40度）1L前後、潤滑油（オリーブ油など）
- ティッシュまたはトイレットペーパー、タオル、ゴミ袋、洗腸後用装具

洗腸液の量 ぬるま湯の注入は600mL程度から開始し、毎日少しずつ量を増やす。1000～1500mLが最終的な注入量の目標となる。

〈 手順 〉

1 注入部品をストーマに入れる

ぬるま湯を洗腸液袋に入れ、ストーマ上60～80cmの位置でスタンドに吊す。洗腸用キットのチューブ先端にある注入部品をストーマに挿入する。入りにくいときは潤滑油を塗る。

↓

2 ぬるま湯を注入する

腸の中に1分間に100mLの速度でゆっくり注入する。

↓

3 自然に便が出るのを待つ

しばらくストーマを押さえ、自然に便が出てくるのを待つ。はじめに大量の便が出て、30分後に少量の後便（あとべん）が出る。

↓

4 洗腸後用装具をつける

後便を確認し、すべての便が出終わったら洗腸終了。注入部品とチューブ、洗腸用装具をはずし、ストーマをきれいに拭き、洗腸後用装具をつける。

注意！

- 医師の許可が出た人だけ行う。体調が悪い日は無理をしない
- 食後１～２時間の間や空腹時を避けて実施する
- 慣れるまでは不意の排便に備えて自然排便用装具をつけておく
- ぬるま湯の温度や注入スピード（100mL/分）に注意する

ストーマとともに快適な生活を送ろう

行動に制限はない。お風呂もスポーツもOK

ストーマをもつことによってこれまでとは排泄方法が変わりますが、患者さんに対する行動制限は特にありません。

いきなりは無理かもしれませんが、ストーマに慣れてくればお風呂やスポーツ、外食や旅行などを楽しむこともでき、体調がよければ職場復帰も可能です。

快適に過ごすには、日常生活の場面ごとに自分なりの注意点を知り、気をつけるとよいでしょう。

バランスと消化のよいものが便を安定させる

高血圧や糖尿病などの持病があって医師から食事制限を指導されている場合を除き、**基本的に食事の制限はありません**。暴飲暴食を避け、消化のよい食品を選び、規則正しくバランスのとれた食事が望ましい点は健康な人と同じです。

日常のストーマケアでは、おなら（ガス）や便のにおい、形状によっては処理に困ることがありますが、バランスのよい食事を続けていると、便の状態が安定して処理しやすくなります。

便がゆるくなる、ガスが発生しやすい、便のにおいが強くなるといった食品に注意が必要ですが、これは消化器の手術を受けた患者さんすべてに共通することで、ストーマが理由ではありません。

ただ、ストーマのある人はきのこ類や海藻類など不溶性食物繊維が多く、消化の悪い食品を一度に食べすぎると、フードブロッケージ（腸管腔の狭い小腸で消化物が固まって詰まること）や、ストーマ直前で詰まってしまうことがあるので注意してください。

負担をかけずに積極的にからだを動かす

運動についても基本的に制限はないので、工夫しだいでさまざまなスポーツが楽しめます。運動時にストーマ装具が揺れるのが気になる場合は、**袋を押さえるスポーツ用ベルトを使うとよい**でしょう。

ただし、おなかに器具が当たる鉄棒や、腹筋トレーニングのように腹部に強い圧迫や負担のかかる運動はおすすめできません。また、レスリングや柔道などの格闘技、ラグビーようにからだを激しくぶつけ合ったり、腹ばいの姿勢になったりするスポーツも避けます。

おしりをふさいだ傷が痛むうちは、しばらくの間、自転車に乗るのも避けましょう。

水泳など水中での運動は、ストーマ装具をきちんと装着し、管理しておけば問題ありません。

注意点としては、**運動前にはストーマ袋を空にしておくこと**です。また、運動で汗をたくさんかくと、ストーマ袋の下の皮膚が蒸れて皮膚トラブルの原因になります。こまめに汗を拭き取り、パウチカバーを使うなど工夫しましょう。

ストーマ装具はつけたまま入浴できる

自宅で入浴するときは、ストーマ装具をつけたままでも、はずしてもどちらでもかまいません。

ストーマ装具は正しく装着していればそのまま入浴できます。入浴前には、必ずトイレで**ストーマ袋の中の排泄物を処理して空にしておきます**。そして装具の排出口がきちんと閉じているか、袋に汚れがないかをよく確認し、ストーマ袋を三つ折りにしてテープなどで腹部にしっかり固定します。入浴用キャップやミニストーマ袋に取り替えてもよいでしょう。

脱臭フィルター付きのストーマ袋を使用している場合は、フィルターにお湯が入らないように同梱のシールを貼ります。

また、面板が全面皮膚保護剤の場合ははがれやすいため、面板の外周にサージカルテープを貼って補強します。

ストーマ装具をつけずに入浴する場合は、お湯につかるときに排泄物を受けるための専用のプラスチック容器をストーマ部分に当て、手で押さえておきます。

寝るときはストーマ袋の便を捨て、空にする

就寝前にはストーマ袋の中の便を捨て、袋を空にしておきます。そのうえで、装具がしっかり装着されているかを確認します。就寝中も便は排出されますが、**装具が正しく装着されていれば、漏れる心配はほとんどありません。**

ただし、水様便が多い、寝ている間の寝相が悪いなどの理由で袋から漏れるのが心配な場合は、高分子吸収体入りのストーマ袋を使用して便をゲル状にすると漏れを防ぎやすくなります。ストーマケアのグッズには便利なものがあるので、改善したいことや悩みがある場合はストーマ外来で看護師に相談するとよいでしょう。

先生、教えて
Q&A

ストーマがあっても温泉に入れますか？

温泉や銭湯などの公衆浴場では、ストーマ装具を装着して入浴します。入浴の手順は、自宅での場合と同じで、入浴前には必ずストーマ袋を空にしておきます。

脱衣所でストーマを他人に見られることに抵抗がある場合は、脱衣所の目立たない位置で着替えたり、タオルで隠したりします。

ストーマ装具は、肌色のものやミニパウチにつけ替えると目立ちにくくなります。入浴用キャップに取り替えてもよいでしょう。万が一に備えて装具セットを脱衣所に持参し、タイルも1枚余分に準備しておくと安心です。

また、ふだんは洗腸排便法で、洗腸時以外は装具をつけない人が公衆浴場を利用する場合も、肌色のストーマ装具や洗腸後用装具などをつけて入浴します。

食後は排泄量が多くなりやすいので、食前に入浴するか、食後しばらく経った排泄の少ない時間帯を選んで入浴するとよいでしょう。

人目が気になってしまう場合は、個室に露天風呂や家族風呂のある宿を選ぶのもひとつの方法です。

おなかを締めつけないファッションを楽しもう

開腹手術を受けた場合、しばらくの間は腹部の傷痕が目立ちますが、徐々に目立たなくなるので傷痕そのものをあまり気にする必要はありません。

もし、傷痕が衣服でこすれて痛むときは主治医に相談します。

また、ストーマがあると、今までのような服が着られなくなると心配する人もいますが、**基本的にこれまでどおりの服装でかまいません。**

おなか回りに手が入るくらいのゆとりがあれば、着物でもドレスでもジーンズでも自由に着られます。ストーマがあるあたりを締めつけたり、こすったりしなければ大丈夫です。

ウエストのベルトがストーマや装具に当たってしまうなら、サスペンダーで吊る方法もあります。また、ズボンのウエストサイズは少しゆとりのあるものを選ぶようにしましょう。

トイレでストーマケアをスムーズに行うには、ウエストがゴムのズボンなら毎回ベルトをはずす手間がなく扱いが楽です。

ウエストがゆったりしたワンピースやフレアスカート、プリーツスカートなら腹部の装具を締めつけることがなく、また装具も目立ちにくいようです。

夏場に薄着になると、装具が透けて見えることが多いようです。気になる人は上着を羽織るか、透けにくい素材・色を選ぶとよいでしょう。

旅行に行くときは装具一式があると安心

ストーマがあっても体調がよければ旅行できます。不安なら少し遠出をしてみたり、1泊程度の短い旅から始めたりするとよいでしょう。**気分転換のためにも積極的に出かけるのはよいことです。**

準備としては、通常の旅支度に加えて、予備のストーマ装具一式を必ず持ち歩きます。ほかにもビニール袋やタオル、ウエットティッシュ、予備の下着などがあると安心です。泊まりがけなら着替えを余分に用意し、洗濯バサミなども持っていくと便利です。

飛行機に乗る場合は、預ける荷物ではなく、**機内に持ち込む手荷**

先生、教えて
Q&A

下着はこれまでと同じでよいですか？

装具をつけていると、ストーマ周辺は汗をかきやすく、蒸れやすくなります。通気性・吸水性がよく、速乾性のある素材のものを選びましょう。

夏場はストーマ袋が直接肌に触れると汗をかいて蒸れたり、あせもができたりします。下着に切り込みを入れ、そこから袋を下着の外側に出すようにするなど、ストーマ袋が肌に直接触れないようにひと工夫しましょう。

先生、教えて
Q&A

ストーマがあります。海外旅行に行ってもよいですか？

基本的に国内の旅行と同じく、体調が良好で、ストーマケアを問題なくできているなら、海外旅行に行ってもかまいません。

注意点もほぼ同じです。ストーマ装具の予備を必ず持って行きますが、国内旅行のときよりも多めに用意しておきます。旅先でストーマ装具が破損したり不足したりした場合、簡単に入手できないケースも考えられます。

そのうえで、旅行前に日本オストミー協会などを通じて、旅行先の国際オストミー協会に連絡できるようにしておくと安心です。飛行機の機内での注意点も国内線の場合と同じです（↓P76）。

海外の旅先では、すぐにトイレが見つからないこともあります。移動先ごとにトイレのある公共の建物（美術館や博物館など）の位置を事前に確認しておきましょう。

洗腸排便法の人は、旅行先のトイレには洗腸液袋を引っかけるフックがないため、S状フックを持参します。また、飲料に適さない水道水は、洗腸にも使えません。この場合はミネラルウォーターを使用してください。

物のほうに**ストーマ装具一式を入れておきましょう**。注意点としては、面板をカットするハサミやカッターは刃物なので、事前に申告をして預けることになります。ですから、面板の孔は事前にカットしたものを用意します。

飛行機に乗ると気圧の変化によってストーマ袋がふくらみやすいため、搭乗前にトイレに行って便を捨て、ストーマ袋を空にして空気も抜いておきます。

機内の座席はトイレに近い席を取っておきます。身体障害者手帳を提示するか、人工肛門があることを説明すると優先的にトイレ近くの座席を選ばせてもらえます。

旅先での体調の急変や装具の破損・不足に備え、旅先の日本オストミー協会の支部の連絡先を調べてメモしておくとよいでしょう。

性機能障害がなければ性交は可能

直腸切断術を受けた人は、後遺症で性機能障害が現れることがあります（→P36）。障害の程度によっては治療で改善することもあります。性機能障害が起こっていない場合は、ストーマを装着していても性交は可能です。

注意点としては、性行為の前に**装具が適切に装着されているかを確認し、ストーマ袋に便がたまっている場合は捨てておきます**。装具が気になるときは目立たない肌色のテープで装具を固定するか、ミニパウチに取り替えます。

装具を圧迫しないように、パートナーと協力し合いながらスキン

先生、教えて

Q&A

一時的なストーマはどうなりますか？

肛門を切除する手術以外に、術後の治療を段階的に進めるため、一時的にストーマを造設することがあります。この場合は3か月～数か月後に再手術を行って、ストーマを形成していた腸管を切除してつなぎ直せば、もとの肛門から排便できるようになります。

それまでの間は、ストーマケアを覚えて自分でできるようにしておく必要があります。

シップを図りましょう。

職場や学校ではストーマのことを話しておく

体力が回復し、基本的なストーマケアをスムーズに自分でできるようになったら、職場や学校への復帰も可能になります。

復帰の時期を主治医と相談し、許可が出たら、あらかじめ職場や学校の関係者らにストーマのことを話しておきましょう。そのほうが、体調が急に悪くなったときや勤務時間中など、休み時間以外のときにストーマケアが必要になった場合の時間や場所を確保しやすくなります。助けが必要な場合にも協力をお願いしやすくなります。

また、職場や学校のロッカーなどに**予備のストーマ装具一式を常備しておく**と安心です。

通勤・通学経路のトイレの場所を確認

職場や学校への復帰が決まったら、事前に通勤・通学の経路にあるトイレの場所を確認しておきます。途中で体調が悪くなったり、ストーマケアが必要になったりしたとき、あわてずに済みます。

最近は、ストーマケアに対応しているオストメイトトイレも増えています。インターネットで場所を検索しておきましょう（→P169）。

先生、教えて
Q&A

ストーマのケアがうまくできません

ストーマを造設した患者さんには、手術直後からストーマとどのように生活していくのか指導が行われます。医師や看護師らがケアの方法を教えていくので、少しずつ慣れていけば大丈夫です。入院中にわからないことはどんどん質問して、疑問点や不安を解消しておきましょう。

退院後は、ストーマ外来などで気軽に相談してください。

患者の会やオストメイトの会に参加するのもおすすめです。同じようにストーマをもち、生活している先輩たちから役立つ情報や体験談を聞くことができます。

通勤・通学の時間帯にも注意します。車内では混雑で腹部を強く押されたり、おなかに負担がかかる無理な姿勢になったりすることがあるため、時差通勤・時差通学で朝晩のラッシュの時間帯はできるだけ避けます。途中でトイレに行くこともあるため、時間には余裕をもって行動しましょう。

体調が悪いときは無理をしない

便の状態は、体調によって変化します。かぜをひいて軽く発熱しただけでも変わります。そのため、体調が悪いときは無理をしないことが肝心です。

ストーマのある患者さんは水様便が出やすく、水分のとりすぎを気にする傾向がありますが、発熱時や下痢をしているときには脱水症状を起こしやすいため、ためらわずに水分をとってください。

下痢も心配ですが、同様に便秘も注意したい症状です。

ストーマで排泄する場合、便の形状は軟便程度が理想的ですが、便秘になってうさぎの糞（ふん）のような硬い便になると、腸閉塞を起こす危険があります。また、消化の悪いものを食べ、ストーマのところで便がかたまってストーマ袋に出てこなくなることもあります。

このような場合は、緩下剤（かんげ）を使って便を出します。また、ストーマから浣腸をして排便を促すことで改善する場合もあります。ただし、この方法は病院で行います。もし、おなかが張って苦しく、腹痛があり、ガス（おなら）も出ないときは腸閉塞が疑われるため、すぐに受診してください。

直腸がんの手術後には、1回の排便の出始めがやや硬めで、その後は軟便になり、最後に水様便になって排便が終わるというパターンがみられますが、これは異常なことではないので、様子をみてよいでしょう。もし、便が硬い状態が続くときは必ず受診します。

頻繁にガスが出て困るときは、ストーマ装具にガスフィルターをつける方法があります。ガスが出るときに装具を軽く手で押さえると、ガスの音の響きを小さくすることができます。

なお、ふだんは洗腸排便法を行っている人でも、体調が悪いときは自然排便法に切り替えて様子をみるようにします。

ストーマ装具の保管方法

1 高温多湿は避ける

2 冷所保存は避ける

3 直射日光を避ける

4 圧迫しない

5 大量に購入して長期保存しない

6 剥離紙ははがさず保管する

先生、教えて Q&A

ストーマがある人は災害時の備えをどうしたらいい?

ストーマがある患者さんは災害に備えて、食料や水、着替え、持病の薬など通常の非常持ち出し用品に加え、ストーマケアに必要な品物も必ずそろえておきます。身体障害者手帳やオストメイトカードも避難時には携行します。

ストーマ装具・用品は交換のため、最低でも2~4週間分をストックしておき、捨てるときに使うゴミ袋なども用意します。水が不足することが多いので、清拭用品やウエットティッシュも必須です。また、ストーマ装具の面板はあらかじめカットしておきます。

避難所では、施設管理者にオストメイトであることを報告して、トイレの使用について配慮や支援をお願いしておきましょう。

ストーマ装具・用品を持ち出せなかったときや、足りなくなって入手したい場合は、自治体によるストーマ装具の備蓄があるので、市区町村の窓口に問い合わせます。「ストーマ用品セーフティーネット連絡会(OAS)」が緊急時に無料で提供するしくみがあります。日本オストミー協会のホームページ(↓P168)などで確認しておくと安心です。

コラム

ストーマをつけた人の社会的サポートがある

●障害者手帳が交付される

ストーマ造設術を受けた人で、永久的なストーマ造設の場合はおもに身体障害者4級の認定が受けられます。合併症の状況により、3級または1級に認定されることもあります。

認定を受けるには、申請書類に医師の診断書を添えて市区町村役場に申請する必要があります。

申請の時期は、ストーマの種類によって異なります。回腸・上行結腸・横行結腸ストーマや、尿路系ストーマを造設した人は、手術後すぐに申請が可能です。下行結腸・S状結腸ストーマを造設した場合は、手術の6か月後から申請が可能になります。

なお、一時的に造設したストーマの場合は申請できません。

申請が受理され、認定されると身体障害者手帳が交付されます。居住する市区町村によってサービス内容が異なりますが、さまざまな社会福祉サービスを利用できるようになります。

国民年金や厚生年金に加入して掛け金を納めている人は、ストーマ造設術を受けたあと、障害年金を受けることができます。

●ストーマ装具代の一部も支給

ストーマ装具の購入には医療保険が適用されませんが、社会保障制度により世帯所得に応じて国から装具代の一部（年に約9万円分の給付券）が支給されます。

装具の購入は、病院や市区町村役場の福祉課などで紹介される業者に注文します。

国の支給額を超えた装具購入費用は自己負担となりますが、ほかの医療費と合わせて10万円を超える場合は医療費控除の対象となります。申請手続きには装具購入で支払った金額の領収書が必要なので、必ず保管しておきましょう。

第4章

手術後の快適な暮らしのために

生活全般の自己管理が大切

規則正しい習慣で生活にリズムをつける

大腸がんの手術を受けて退院したあと、どれくらいの期間で体調が回復するかは個人差があります。**順調に回復するには、患者さん自身がしっかりと健康管理をする意識をもつことが大切です。**

入院中は病院の管理下で起床・就寝し、1日3回の食事を規則正しい時間にとり、生活リズムを保ちますが、退院して自宅に戻るとそれができなくなる人がいます。

起床・就寝、食事などの基本的な生活時間が規則正しい状態であると、生理的なリズムが生まれ、排泄の管理もしやすくなります。まずは規則正しい生活習慣を心がけ、食事と排泄（はいせつ）の問題をクリアすることが第一歩です。

食事や運動などできることから少しずつ

食事は入院中に食べていたもの（おかゆなど）と似たようなものから始め、少しずつ食品数を増やします。

運動についても同様です。身の回りのことはできるだけ自分でやるようにするなど、積極的にからだを動かす工夫をします。こうして毎日少しずつ運動量を増やしていくとよいでしょう。

あせらずゆっくりと元の日常に戻していく

手術後、腸の状態が安定するまでは、下痢や便秘などの症状がたびたび起こるものです。

また、人によっては退院後も腹部の痛みを訴えることがあります。こうした気になる症状があると、ちょっとした日常の生活動作をすることにも消極的になりやすいのですが、あまり慎重になりすぎないようにしましょう。

排泄に関する症状は徐々に落ち着いていきますし、腹痛については腸閉塞に注意すれば、あまり神経質になる必要はないでしょう。

からだを動かすのをためらったり、じっとしてすごしたりすることが多いと、いつまで経っても体力が回復しません。その結果、ますます動くのがつらくなるという悪循環に陥ることもあります。**無理は禁物ですが、できる範囲で少しでもからだを動かすことが大切です。**

あせらず、ゆっくりと、日常の動作にからだを慣らしていきましょう。

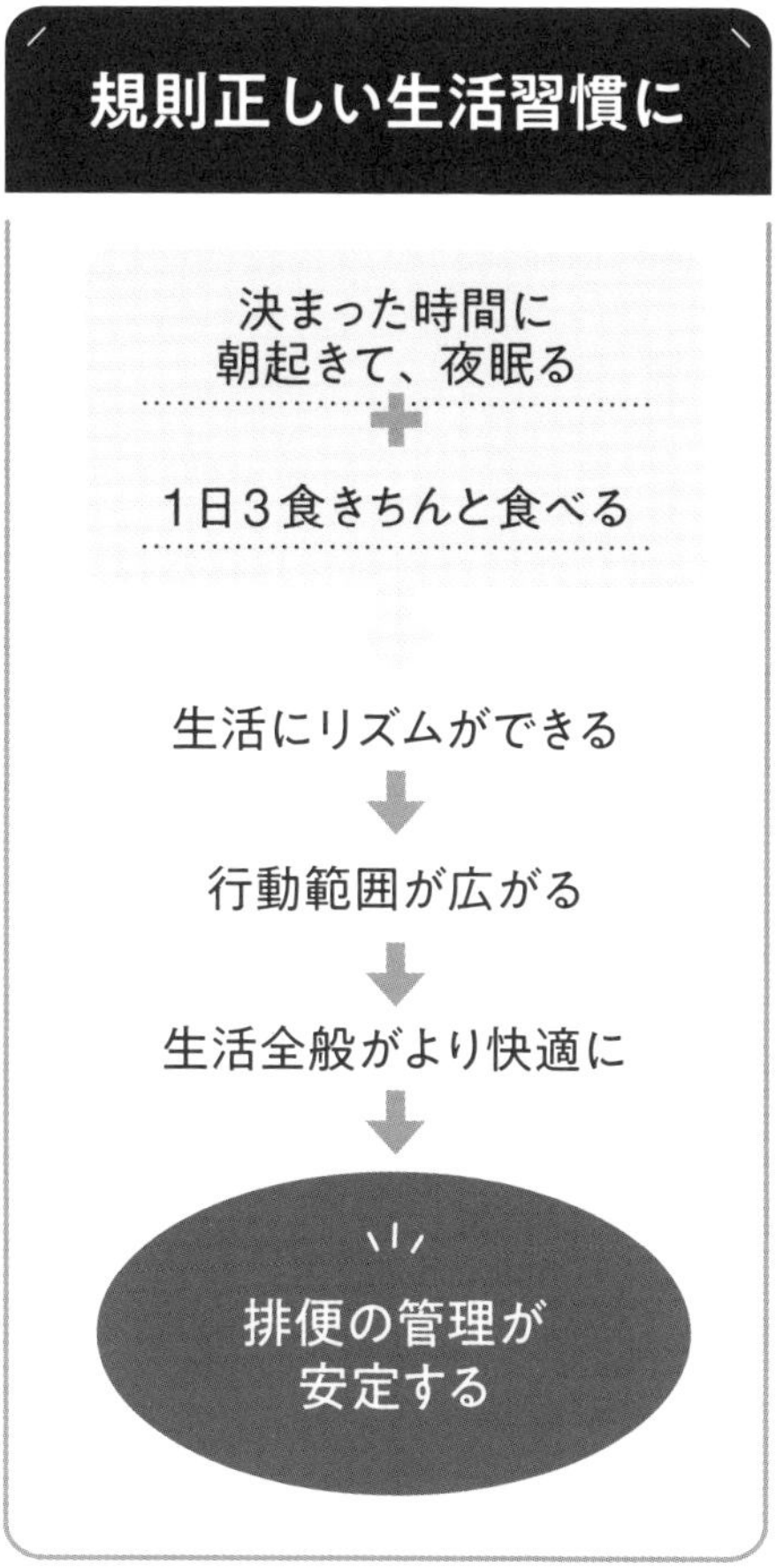

規則正しい生活習慣に

決まった時間に
朝起きて、夜眠る
＋
1日3食きちんと食べる
＝
生活にリズムができる
↓
行動範囲が広がる
↓
生活全般がより快適に
↓
排便の管理が
安定する

定期的な検査は欠かさず受ける

退院後しばらくは、医師の指示どおり定期的に受診してください。傷の治り具合や排便の様子を医師に報告するほか、下痢や便秘、排便困難などがあれば、その治療と薬の処方をします。

これらの治療が必要なくなっても、**手術後少なくとも5年間は再発や転移に備え、定期的な検査を欠かさず受けることが大切です。**

ストレスをため込まないようにする

退院後、なかなか体調が元に戻らないと、それがストレスとなってますます体調をくずしてしまうことがあります。「前はこうだったのに」とか、「本当はこうしたいのに……」という気持ちが強いほど、ストレスも強くなります。

このようなときは、「今はこうだけど、だんだん変わるだろう」「今はこれがダメでも、これならできる」などと気持ちを切り換えることが大切です。親しい人と話すだけでも気持ちは軽くなります。ストレスをため込まないことが、健康生活への近道です。

ただし、よく眠れない、夜中や早朝に目が覚めるなどの不眠の症状や食欲不振、倦怠感、気分の落ち込みや焦燥感、不安感が強く続くという場合は、うつ病などこころの病気が疑われます。

無理をしたりがまんしたりせず、早めに主治医に相談し、必要に応じて精神神経科などを受診します。

再発リスクを高めるような生活習慣を見直す

健康的で快適な生活が望ましいのは、患者さんに限らず、誰にでも共通しています。

再発のリスクを少しでも抑えるために左図の「がんの再発を防ぐための12のポイント」を参考に、生活全般を見直していきましょう。

がんの種類によっては、特定の生活習慣によってリスクが高まることが明らかになっています。たとえば、喫煙はさまざまながんのリスクを高めます。大腸がんの手術で入院中は誰もが禁煙していたはずです。**この機会に完全に禁煙することをおすすめします。**

お酒が好きな人も食事といっしょに楽しむ程度にとどめましょう。

先生、教えて Q&A

再発を防ぐために特別に注意することは？

再発は注意だけで防げるものではありません。

手術では目に見えないがんも取り切ることを目指しますが、完全に取り切れたかどうかはわからないことがあります。がん細胞が血流に乗って、肝臓や肺などに転移することもあります。

再発してもいち早く気づいて治療を開始することが肝心です。そのためには、術後5年間は定期検診が必須です。

がんの再発を防ぐための12のポイント

1/ たばこを吸わない

2/ 他人のたばこの煙を避ける

3/ お酒はほどほどに
(→P101)

4/ バランスのとれた食生活を
(→P98)

5/ 塩辛い食品は控えめに
(→P94)

6/ 野菜やくだものは不足しないように
(→P99)

7/ 適度に運動する
(→P102)

8/ 適切な体重を維持する

9/ ウイルスや細菌の感染予防と治療
(→P51)

10/ 定期的にがん検診を受ける
(→P136)

11/ からだの異常に気づいたらすぐに受診する

12/ 正しいがん情報でがんを知る
(→P166~)

(がん研究振興財団「がんを防ぐための新12か条」より改変)

食生活の工夫で体力を回復させる

管理栄養士の指導を守り、食事習慣を正す

毎日の食事は健康維持のためにも、体力を回復させるためにも、とても重要です。**大腸の調子が手術前と同じ状態に戻るまでには、ある程度時間がかかります。**食品の選び方や食べ方にもいくつか注意点がありますが、しっかりと食べることを目標にしてください。手術後しばらくは腸の働きが一時的に低下し、軟便や下痢、便秘などが起こりやすくなります。しかし、ちょっとした食事の工夫で症状をコントロールしやすくなります。

退院後、自宅に戻ってからどんな食事をすればよいのか不安なときは、医師や看護師、栄養士に相談を。医療機関によっては、退院前の生活指導として栄養士による栄養指導が行われることもあります。ぜひ参考にしてください。

食事は段階を経て少しずつ戻していく

手術後、しばらくの間は腸の働きが低下しており、胃と小腸を通過した食べ物を便にする機能がまだ十分に機能していません。その影響で下痢や頻便、便秘などの症状が現れやすくなっています。

また、手術のあと、3か月ほどの間は腸閉塞にも注意が必要です。

そのため、90〜91ページの図のように少しずつ時間をかけ、段階を経て食事内容を戻していきます。

入院中は病院側で食事を管理しますが、退院後は医師の指示を守って自宅で管理することになります。積極的にとりたい食品や逆に控えたい食品があるので、こうした注意点を守りながら、**術後3か月ほどで元の食事に戻すことを目指しましょう。**

退院後の食事で心がけたいこと

1 一度にたくさんの量を食べないようにする

術後は大腸の働きが低下し、便秘や下痢になりやすいため、少しずつ食べる量を増やしていく。

2 多種類の食品をバランスよく食べる

術後の回復期には、まんべんなく栄養摂取ができるように多種類の食品を少しずつとる。

3 1日3食、同じ量の食事をとる

1日3食を規則正しい時間に、同程度の量ずつとると、毎日の排便習慣をととのえやすくなる。

4 消化・吸収のよい物を中心に食べる

食べ物の消化・吸収が不十分なまま大腸に送られると下痢や便秘が起こりやすくなり、腸閉塞の原因にも。

5 ゆっくりよく噛んで、食後は安静に

一口20回以上を目安によく噛む。食後に20～30分の食休みをとると、消化がよりスムーズに。

6 水分はしっかりとる

下痢と便秘による脱水を防ぐため、1日2L以上を目安に水分をとる。

術後の食事は徐々に元に戻す

手術

術後すぐは水分のみ

手術後2~3日

流動食や五分がゆ
（入院中は患者さんの状態に応じたものが出される）

1~2週間

退院後は自分で管理する

- 五分がゆ→七分がゆ→全がゆに
- おかずは軽く噛んだだけでつぶせる程度にやわらかく調理した魚や野菜の煮物を
- 食欲がないときやおなかの調子がよくないときは、ポタージュ、ゼリー、ムースなど口当たりがよく消化のいいものを
- 腸の働きを助け、細菌を増やすヨーグルトなどを利用しても

慣れるまでは消化の悪い食品に注意する

消化のよい食品や献立、逆に注意したいものをきちんと把握しておくと毎日の食事のときに役立ちます（→P92）。

たとえば、一般的には排便を促し便秘予防によいとされる食物繊維ですが、腸の手術を受けた場合はしばらくの間は要注意です。

絶対に禁止というわけではありませんが、海藻類やきのこ類、こんにゃくなどに多く含まれている**食物繊維は、あまり消化がよくありません**。腸の状態が安定するまでは少量にとどめるか、消化しやすいように細かく刻んだり、よく煮込んだりするなど、調理法を工夫したほうがよいでしょう。

1か月

- やわらかめのごはん、やわらかく煮たうどん→徐々に通常食へ
- おかずは肉、野菜、乳製品、くだものをやわらかく調理
- とりたい食品ととりたくない食品がある

1か月後以降

- 体調をみながら食材や献立を試す
- 食べる量を増やす
- 油を使ったものを一口食べて大丈夫なら食べる量を少しずつ増やす

食欲が戻ってくる

腸の機能が元どおり→食べすぎない

3か月後

食事量が元に戻るのが目標！

○ 術後1か月間はとりたい食品

- おかゆ
- うどん
- 緑黄色野菜
- 缶詰のくだもの
- とりささみ
- 白身魚
- ヨーグルト
- ゼリー

など

× 術後1か月間は控えたい食品

- 玄米
- 脂身の多い肉
- 海藻類
- しらたき
- 炭酸飲料
- 中華麺
- 根菜類
- 漬物
- 香辛料
- 揚げ菓子

など

消化のよい食品と悪い食品

消化のよい食品

消化がよく、退院後すぐの食事としても食べやすい。

消化の悪い食品

退院後しばらくは控える。あるいは刻む、よく煮るなど調理の工夫が必要。

こんにゃく

食物繊維が多い食品

消化が悪いため、退院後しばらくの間は控える。

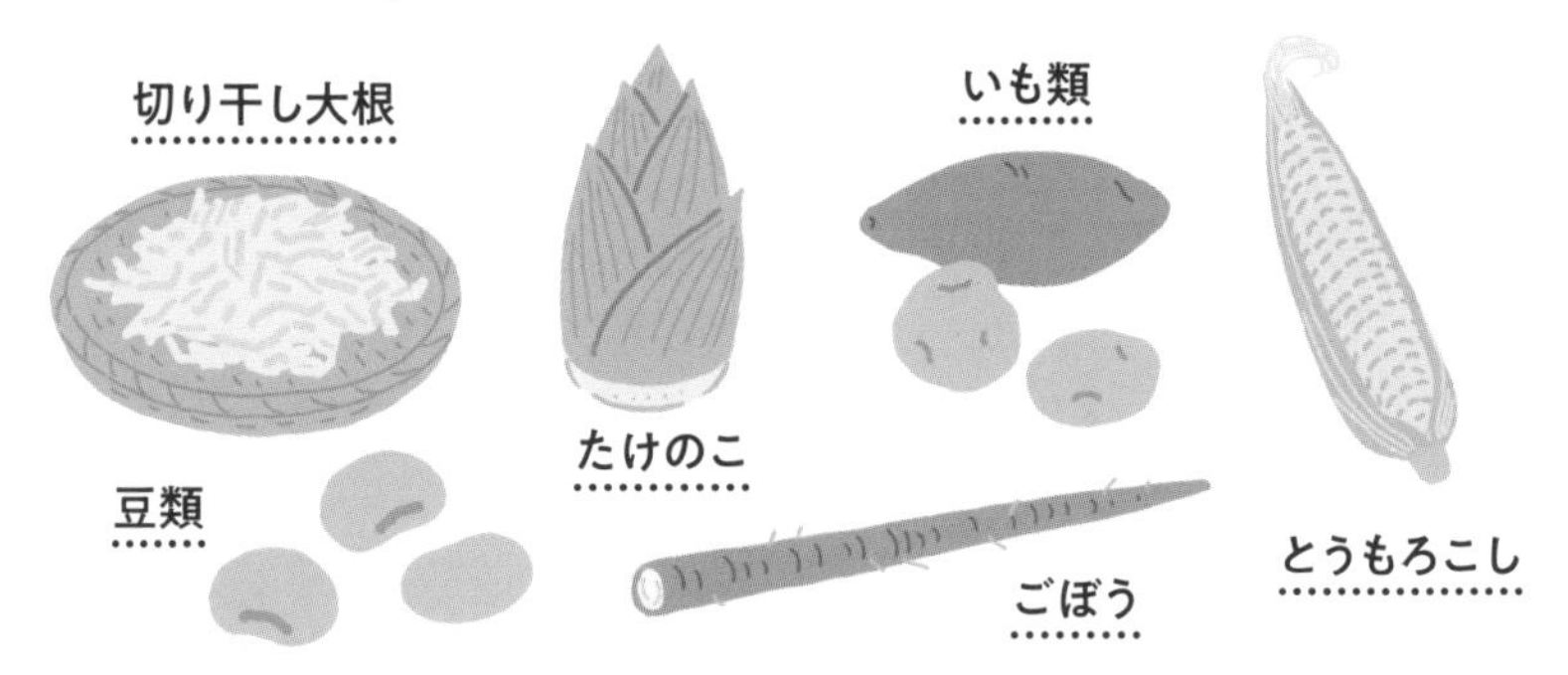

また、ガスが発生しておなかが張りやすくなる食品も、手術後しばらくは控えます。特に退院直後は、おなかが張ると手術の傷が痛みやすくなります。**豆類やいも類、ごぼうなどの根菜類は食べすぎないようにします。**

炭酸飲料やビールなども当面は控えてください。

食品によっては少しずつ試しながら慣らしていく

退院後すぐの食事は消化のよいものがすすめられますが、いつまでも厳しく制限し続ける必要はありません。

時間がたつとともに排便の状態は落ち着いてきます。**時機をみて、油脂類を含む食品や食物繊維を含む食品も少量ずつ試してもよいでしょう。**同じ食品でも調理法によって問題なく食べられるときと、おなかの調子が悪くなるときがあるかもしれません。試行錯誤をくり返しながら様子をみます。

腸の回復具合は個人差があるので、自分の状態に応じて微調整することが大切です。

少し食べてみて、やはり排便がつらくなるような場合は、その食品はまだ食べないようにするとか、少量なら大丈夫だけど食べすぎないように気をつける、というように自分で判断しながら調整していきます。

時間をかけ、こうした経験をくり返すうちに腸の働きが回復し、排便の状態も安定してきます。すると安心して食べられる食品も増えていきます。

腹八分目で回数を増やし、1日分の食事量を確保する

大腸の手術直後は、1回に食べられる量が手術前よりも一時的に少なくなります。しかし、1日の活動に必要なエネルギー量を確保するには、栄養バランスのよい食事を十分にとる必要があります。

そこでおすすめしたいのが、1回あたりの食事量を少なめにして、**間食や軽食などをとり、食べる回数を増やすという方法です。**

毎食ふつうの量が食べられそうな気がしていても、思ったほど食べられません。

また、無理をして食べると、消化しきれずに苦しくなることがあるので注意してください。

退院後は、腹六〜七分目くらい

で様子をみます。術後1～2か月をすぎたら、腹八分目くらいまで増やしてみます。腸の状態が落ち着いたら元の量に戻してもかまいません。

ただ、外食では量が多いことがあるので、家で食べるときより控えめにしましょう。

刺激物や油脂類は控える

刺激の強い香辛料などの食品は、少量なら食欲増進に役立つこともあります。しかし、とりすぎると消化管の粘膜を荒らしたり、吐き気を誘発したりすることがあります。そのため、**とうがらしやカレーのスパイス、こしょうは少量に**とどめます。

牛乳はカルシウムの補給に適していますが、手術後は、冷たいまま飲まず、ホットミルクにして少しずつ飲むか、調理に使う程度にします。

油脂類もとりすぎると消化を妨げ、下痢を誘発することがあります。そのため、天ぷらや揚げ物、脂っこい焼肉などは控えます。

冷たすぎるものや、逆に熱々のものも消化管を刺激して下痢を誘

そのほかにも注意したい食品

牛乳

冷たいまま飲むと下痢をしやすい。もともと乳糖不耐がある人は特に注意する。

刺激の強い食品

からし、こしょう、わさび、にんにく、とうがらしなどの香辛料、キムチやカレーも控えめに。

油脂類

中華や洋食などを食べるときは、油を多く使った献立は避ける。食べるなら少量にとどめる。

冷たすぎるものや熱すぎるもの

消化管への温度刺激が強い。冷たいものは控えるか常温に戻し、熱すぎるものは冷ましてから食べる。

発したり、粘膜を荒らしたりすることがあります。

夏場はアイスクリームや冷たい清涼飲料水が欲しくなりますが、退院後しばらくの間は控え、おなかの様子をみながら少量ずつにしましょう。

便のにおいを強くしやすい食品にも注意

大腸がんの手術後は、ほとんどの人が以前と比べて自分の便の性質が変わったと感じます。なかでも、便やおならのにおいが以前よりも強くなったと感じることが多いようです。

これは、手術の影響で、腸内細菌叢(そう)の組成（菌の数や種類の比率など）が変わるためです。腸を切除したり、感染対策として用いら

便のにおいを強くしやすい食品

豆類
ねぎ
にら
にんにく
らっきょう
たまねぎ
かに・えび
キムチ
肉類
チーズ
アルコール
ピーナッツ
アスパラガス

● ガスが発生しやすい食品もある

かき・えび
ビール
炭酸飲料
かぼちゃ
いも類
たまねぎ
豆類
ごぼう

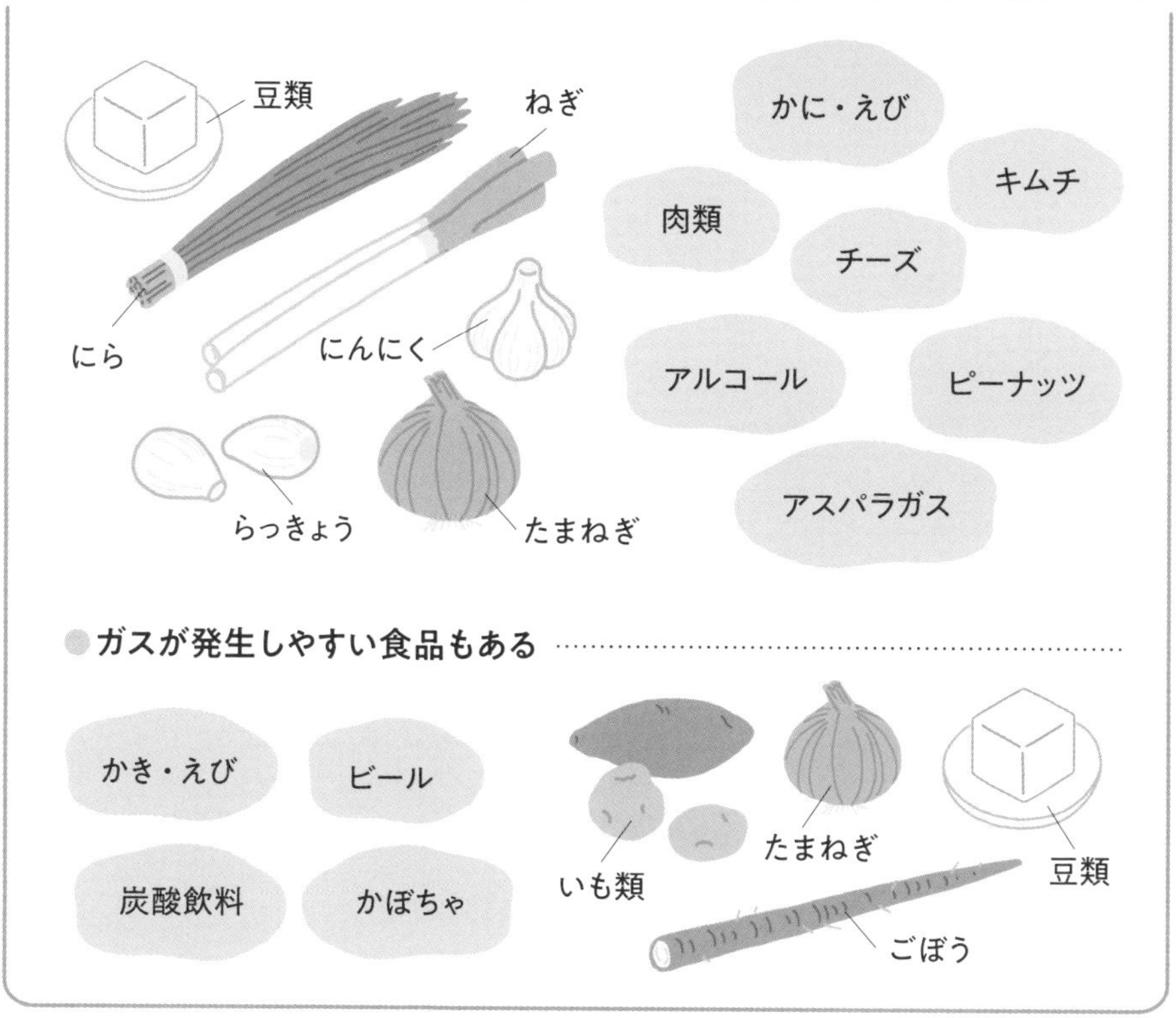

れる抗菌薬などの影響を受けるため、善玉菌や悪玉菌など腸内細菌の種類やバランスが変化してしまうのです。

しかし、においが変わったからといって腸に異常があるわけではないので心配はいりません。

あまり気にしすぎないことが大切ですが、食品の種類によっては便やおならのにおいをさらに強くしやすいものがあるので、そうした食品があることを知っておくと対処しやすくなります。

外出するときや人と会う前には、あまり食べないように気をつけましょう。

においがどうしても気になる人は、ふだんからこうした食品を食べすぎないようにしておくのもひとつの方法です。

こんな症状があったら食事にひと工夫する

大腸がんの術後に抗がん剤による化学療法を受けている場合は、その副作用で食事がうまくとれないことがあります。その対処法も知っておくとよいでしょう。

●食欲不振　栄養や摂取量、規則正しい時間にとる、といったことにあまりしばられず、食べたいときに、食べられるものを少しでも食べましょう。いつでも食べられるように、軽食を小分けにして用意しておくと便利です。

●吐き気や嘔吐がある　胃の中に食べ物がとどまっていると吐き気や嘔吐(おうと)が起こりやすくなります。1回分の量を減らし、体調のよいときに少しずつ食べます。消化がよく、さっぱりと食べられる献立がおすすめです。においやくさみがあると吐き気をもよおすので、冷ますとにおいを抑えられます。

●体重が減る　食欲不振や吐き気、嘔吐があると食べる量が減って体重が落ちます。少量でもエネルギーの高い糖質やはちみつ、ジャムなどの糖分を多めにとります。

●口内炎がある　口の中が痛いときは、熱いものや刺激物、酸味があるものは控えます。スープやペースト状にして、少し冷ましてから食べます。味つけもうす味にします。栄養補助のゼリーなども利用しましょう。

●味覚や嗅覚の変化　自分で食べやすい好みの味つけにします。金属製のスプーンやフォークなど金属製で苦味を感じる場合は、プラスチックや木製、陶器のものを使います。口の中が乾燥しているときは汁物を添え、飲み込みやすいようにとろみをつけます。プリンやゼリー、茶碗蒸しなど、なめらかな食感のものもおすすめです。

外食するときは脂っこい料理に注意

油脂類をとりすぎると、下痢がひどくなることがあります。腸の状態がまだ安定していない術後は、特に以下のメニューは控えたほうが安心です。

●脂っこい料理　焼肉、揚げ物（天ぷら、唐揚げ・フライドチキン、コロッケなどのフライ）、ファストフード（ハンバーガー、フライドポテト）、ラーメン、餃子やチャーハンなどの中華料理

そもそも、こうした動物性脂肪や油脂類が多い肉類や揚げ物、炒め物などの料理を好む傾向のある人は、大腸がんの発症リスクが高いといわれています。

今回、手術で大腸がんを治療したことをよいきっかけとして、今後の健康のためにも油脂類をとりすぎないようにします。

また、外食メニューは家庭料理と比べて、大量の油が用いられている傾向があります。自宅療養から職場や学校に復帰したのち、外食が増えそうな人は脂っこい料理を食べすぎないようにメニュー選びには十分に気をつけます。

また、外食では1人前の分量が多いこともよくあります。全部食べてしまうと、下痢や腹痛の原因になります。量が多いと思ったら、無理に完食せず残しましょう。

栄養のとりすぎにも気をつける

手術前はがんのために体調が悪く、思うように食べられなかったという人も多いでしょう。

しかし、がんを切除したことによって体調がよくなると、また好きなだけ食べられるようになります。それはよいことではあるのですが、なかにはつい食べすぎて栄養過多となり、術後短期間で太ってしまう人もいます。

カロリーオーバーは、肥満や糖尿病、脂質異常症などの生活習慣病を悪化させます。大腸がんの危険因子でもあります。**再発を防ぐためにも食べすぎと、それによる肥満には十分に注意してください。**

たんぱく質・糖質・脂質などをバランスよくとる

健康を維持するためには、たんぱく質、糖質、脂質、ビタミン、ミネラルなどの栄養素を含む食品をバランスよく組み合わせて食べるのが望ましいとされています。

こうした食事は、大腸がんの手術後の患者さんだけでなく、すべての人に共通しているので、家族全員の健康維持にも役立ちます。

栄養バランスをとるには、それぞれの栄養素のもつ役割を正しく理解し、とりすぎたり不足したりすることがないようにしましょう。

●たんぱく質　からだの基礎となる細胞や骨、筋肉をつくり、その働きを活発にします。エネルギー源にもなります。

●糖質　からだを動かして活動するメインのエネルギー源となります。特にブドウ糖は脳の重要なエネルギー源です。

●脂質（脂肪）　体脂肪として蓄えられるほか、活動のエネルギー源にもなります。また、細胞膜やコレステロールなどの成分としても不可欠です。

●ビタミン　皮膚や粘膜を健康に保つビタミンA、糖質や脂質などの代謝に不可欠なビタミンB群、免疫力や粘膜を強く保つビタミンCなど、体内のさまざまな生理的機能に影響して、からだの働きを円滑にする作用があります。

●ミネラル　ビタミンと同じように体内の生理的機能に影響してからだの働きを円滑にするほか、からだの一部を構成します。骨や歯を丈夫に保つカルシウムやマグネシウム、貧血を防ぐ鉄、筋肉の動きに欠かせないカリウムなど、必要量はわずかですが、いずれも不可欠のものです。

●食物繊維　便通をよくし、血糖値やコレステロールなどの上昇を抑える働きもあり、生活習慣病の予防のためにも十分にとることがすすめられています。

以上の栄養素のうち食物繊維に関しては、手術後しばらくは下痢を起こしたり、腸閉塞の原因になったりしやすいため、腸の状態が安定するまではとりすぎには注意が必要です。

しかし、ある程度の時間が経過し、**腸の状態が落ち着いてきたら食物繊維を多く含む食品群もまんべんなくとるようにしましょう。**

主食・主菜・副菜が基本のメニュー

栄養バランスのとれた食事にするには、「主食・主菜・副菜」を基本とする日本食の食べ方が役に立ちます。この組み合わせに、**さらに牛乳・乳製品、くだものを追加する**と必要な栄養をまんべんなくとることができます。

主食にはごはん、パン、麺類などを選び、これに肉や魚、卵、大豆料理などのたんぱく質を中心とした主菜を加えます。そしてビタミンやミネラル、食物繊維などが含まれる**野菜や海藻、きのこなどの副菜も**添えます。デザートにはくだものを加えるとよいでしょう。

主食・主菜・副菜の組み合わせは、丼ものやラーメン、パスタな

バランスのよいメニューのつくり方

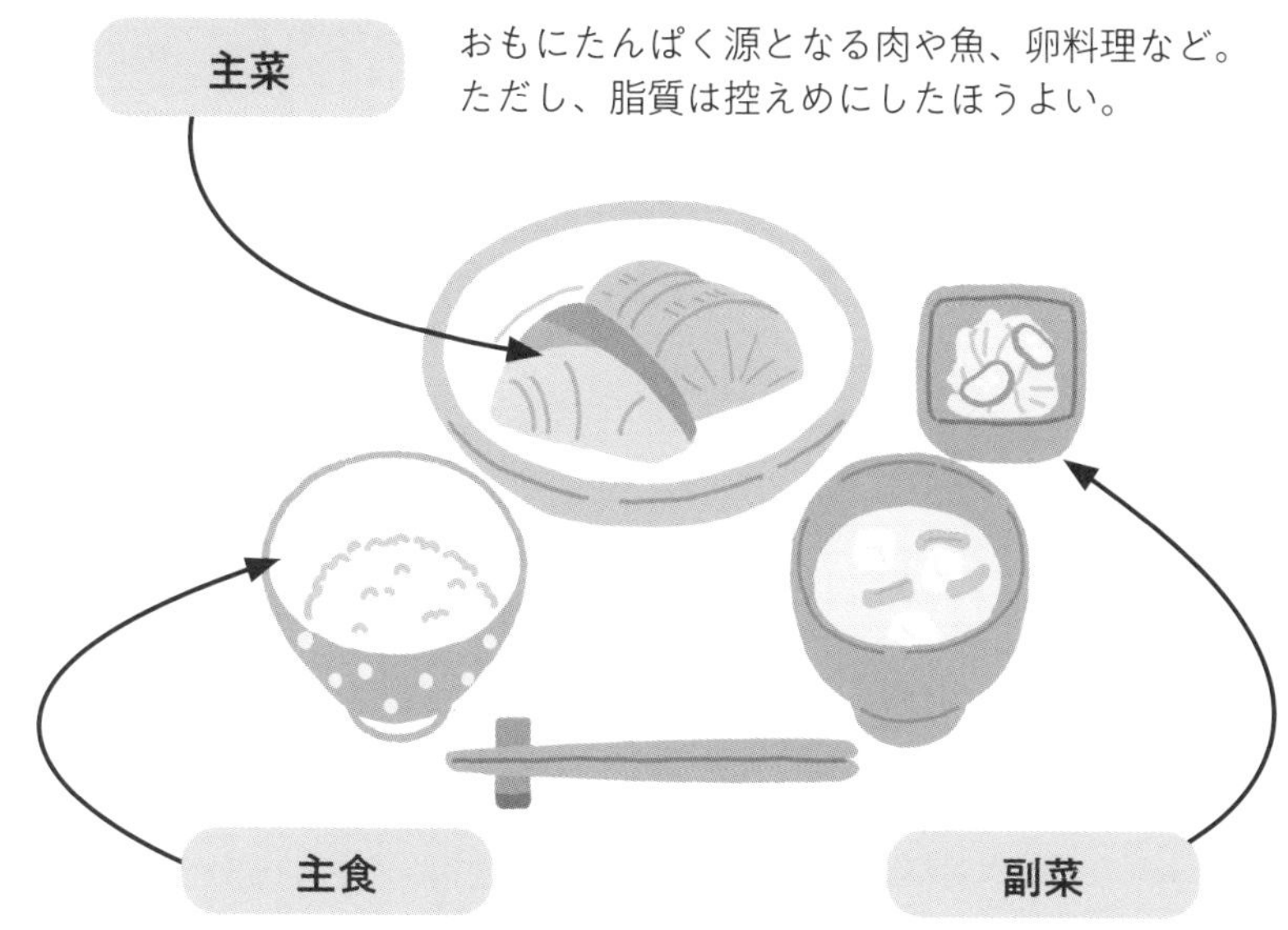

術後3か月をすぎたら、こんな食生活を目標にしよう

食事を楽しむ

料理を味わいながら、家族との団らんや人との交流も楽しむ。

バランスのよい食事と適度な運動で適正体重を維持する

定期的に体重をチェックし、食べすぎに注意。また、極端なダイエットは禁物。

穀類をしっかりとる

主食のごはんは糖質が多く、脳とからだのエネルギー源となるため、毎食とる。

塩分は控えめ。脂肪は質と量を考えて

1日の塩分摂取量は男性が8g未満、女性は7g未満を目標に。動物性脂肪を控え、魚の良質の不飽和脂肪酸を。

食料資源を大切に

調理や保存法を工夫して、食品ロスを防ぐ。賞味期限、消費期限をよく見て食品の管理を。

食事のリズムをつくり、健やかな食生活を

1日3回の食事でリズムをつくる。間食や夜食は控えめに。

主食・主菜・副菜を基本に食事のバランスをとる

多種類の食品をとり、栄養バランスを整える。手作りと外食、加工食品は適度に組み合わせる。

野菜、くだもの、牛乳・乳製品、豆類、魚介類を組み合わせる

ビタミンやミネラル、食物繊維をとるには多種類の食品をとる。不足しやすいカルシウムは牛乳・乳製品から。

旬の食材をとる

地域の産物や旬の食材を上手にとり入れ、自然の恵みや四季の変化を楽しむ。

「食」について理解を深め、食生活を見直す

食生活が心身におよぼす影響をよく理解し、食で健康なからだをつくり、守っていく。

（厚生労働省　食生活指針より改変）

どの単品の献立よりも栄養のバランスをとりやすくなります。ただ、こうした単品の献立が食べたいこともあります。この場合は摂取エネルギーの範囲内で、サラダやスープ、デザートを組み合わせて栄養のかたよりを防ぎましょう。

お酒は「適量」を楽しみたい

食事とともに飲み物にも気をつけてください。下痢や便秘の対策としては、水分を適度にとることが大切です。下痢のときは脱水症状が起こり、便秘のときは水分が便をやわらかくするのを防ぎます。

ただし、飲み物によっては要注意です。炭酸飲料はガスでおなかがふくれやすいので避けましょう。

また、アルコール類やカフェインを含む緑茶やコーヒー、紅茶も控えます。アルコールやカフェインには利尿作用があるため、飲んでもすぐに尿として排出されてしまうので、水分補給のつもりでも逆に脱水を招くことがあります。飲むならほうじ茶や麦茶、薄めの番茶などがおすすめです。

お酒は晩酌が習慣化して、度を越して飲むようになるのが最もよくありません。禁酒とまでは言いませんが、適量を守り、少量を楽しむ程度にとどめます。**お酒を飲まない日も必ず設けてください。**

アルコールの「適量」

- 日本酒 → 1合
- ビール → 大びん（500mL）
- 焼酎 泡盛 → 2/3合
- ウイスキー ブランデー → ダブル1杯
- ワイン → ボトル1/3程度

適度な運動でからだを動かす

弱った筋力と腸の働きを運動で回復させる

退院直後は、まだ全身の筋肉が弱った状態にあります。ほとんどの場合、入院中は院内で歩く練習をした程度で退院となるため、筋力が完全に回復していなくてもしかたありません。退院したら気持ちを切りかえ、少しずつ運動量を増やしましょう。

ただし、いきなりハードな筋力トレーニングをするのではなく、日常生活のなかで行動範囲を広げていけば筋力も徐々に戻ってきます。リハビリのコツは、ややきついかなというところで止めることです。

からだを動かすことで全身の血流が改善されて体力がついてくると、腸の働きの回復にもつながります。**メタボリック症候群や肥満、生活習慣病の予防、ストレス解消のためにも運動は効果的です。**

痛みがあるときは無理をしない

個人差はありますが、手術の傷は3か月程度で完治します。それまでは多少、傷の痛みやつっぱり感をともなうこともあるので、無理に傷周辺の筋肉に負荷のかかる運動は行わないようにします。

特に腹筋運動や強くいきみ続けるような動作、自転車や長時間座りっぱなしの姿勢は避けます。また、腹部をぶつけたりこすったりするおそれのある運動や動作も避けてください。

運動中や何かの動作にともなって傷の痛みやつっぱり感が強くなったり、出血がみられたりする場合はすぐに受診することが大切です。また、傷が治ったあともまだ痛みが続く場合も受診してくださ

術後、体力が回復するまでの目安

退院

- 退院直後は無理をしない。
- できるだけからだに負荷をかけないようにする。
- 治療と入院で体力が衰えて、体重が減る人が多い。また術後の傷もふさがったばかりで痛みもあるため、腹筋を鍛えるような激しい運動は禁止。
- 家事の手伝い、身の回り支度、軽い散歩などで傷の回復を待つ。
- 慣れてきたら、歩く。短時間から始め、少しきついと思ったところでやめる。

1か月後～2か月後

- 傷の状態が落ち着いてきたら、これまでの生活に戻れるようにこまめにからだを動かすようにする。
- 主治医の許可が出たら、軽いストレッチや散歩などでからだを動かし始め、少しずつ活動範囲を広げていく。
- おしりに傷がある場合は、自転車に乗るとおしりの傷を圧迫して痛むことがある。乗るのは傷の痛みがなくなってから。

3か月後

- 適度にからだを動かし始める。ウォーキングや軽めのジョギング、水泳、サイクリング、水中ウォーキングなどの有酸素運動は、持久力がつく。
- 人工肛門がある人も同じ。おなかや人工肛門を強く圧迫しないものを。
- 人工肛門がある人は、以下の対策を。

・装具を空にしておく。
・事前にトイレの場所を確認する。
・汗をかいたら早めに装具を交換する。
・サージカルテープや人工肛門の装具用のベルトで固定する。

運動するときのポイント

❶はじめは短時間から。
❷少しずつ時間をのばして、運動量を増やす。たとえば、最初はゆっくり歩き、しだいに速足で歩くなど。
❸1日に何度も繰り返す。
❹慣れてきたら「少しきついかな」と思うところまでやってみる。無理は禁物だが、ラクなところでやめては運動にならない。

い。痛みや不快感をがまんし続けるとストレスになります。必要に応じて痛みをとる治療をします。

無理のないペースでのウォーキングがおすすめ

無理なくできて、いつでもどこでも誰にでも、毎日できる運動としておすすめなのがウォーキングです。遠くまで歩かなくても、最初は室内の往復から始めるだけでもかまいません。

ただし、あまり短時間では効果がありません。**運動は少し「がんばったなあ」と思える程度まで行ったほうが効果的です。**

無理は禁物ですが、余裕がありすぎても効果は期待できません。自分の今のペースで少しだけ「きついな」と感じるくらいの運動量を目安にしてみましょう。ほんの少し目標を高めに設定することがポイントです。

こうして歩く機会を増やしながら、日常生活の動作や行動範囲を広げ、家事などもできることは積極的に行っていきましょう。

ゴルフやテニス、ジョギングなど本格的にスポーツを再開したい場合は医師に相談のうえ、許可が出てからにします。

運動するときは水分補給を忘れずに

室内や自宅周辺で歩くことに慣れてきたら、もう少し遠くまで行動範囲を広げましょう。

散歩を兼ねたウォーキングは運動になるだけでなく、気分転換にも最適です。軽く汗をかく程度の運動量が理想的ですが、脱水症状を起こさないように途中で水分補給を忘れずに行ってください。

排便のことが気になっていつまでも外出を避けていると、かえってからだによくありません。

特に便秘がちな人は、積極的に外に出たほうが腸の動きがよくなり、排便リズムがととのいやすくなります。下痢ぎみの人や頻便のある人は、外出先やウォーキングコースのトイレの場所を確認し、念のために失禁パッドの用意をするなどして、できるだけ外を歩くようにしてみましょう。案外、排便の調整はうまくできるものです。

便の状態が気になって、水分補給をためらう人もいますが、運動中に汗をかいたときにはしっかり水分を補給してください。

正しいウォーキングの方法

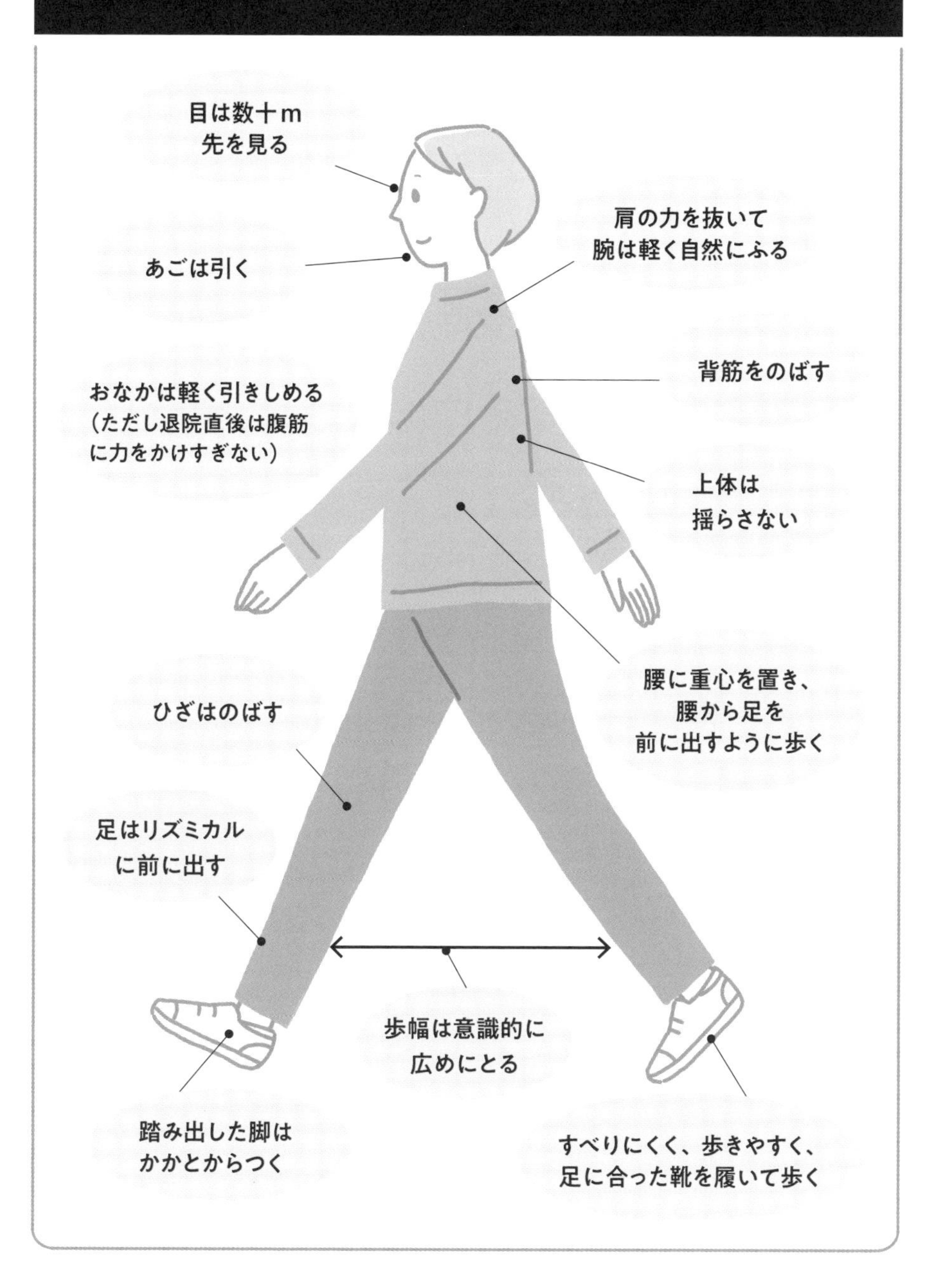

排便リズムをととのえる

ライフスタイルを改善して便通をととのえる

手術後は軟便が出たり、下痢ぎみになったりするのがふつうです。個人差はありますが、結腸の一部を切除した場合では、**早い人で術後数週間～1か月程度、遅い人でも3か月～半年ほどで、手術前とほぼ同じような便の状態に落ち着いてくるのが一般的です。**

運動や食生活をはじめとする生活習慣を見直し、ライフスタイルの改善に努めれば、排便リズムはいっそうととのいやすくなります。

ただし、S状結腸や直腸の手術後では便の状態や排便リズムが以前と同じには戻らないことがやや多くなります。その場合はあせらずに、徐々に今の状態に慣れていくようにします。

胃腸の働きには、精神的なものも強く影響します。排便の調子が悪いことを気にしすぎると、それがストレスとなり、ますます排便のリズムが乱れます。「大腸の手術を受けたから、しばらくの間は排便の調子が悪くても当たり前」と割り切ったほうがストレスをため込まず、気持ちも楽になります。

下痢がひどい場合は保温し、安静にする

術後には慢性的に軟便や水様便が出るだけでなく、食事の影響やストレスなどちょっとしたことで腸が刺激を受け、下痢がひどくなることもあります。また、抗がん剤治療を受けている場合は、副作用として軟便や水様便が続くことがあります。急なひどい下痢のときは安静にして、からだの保温に努めます。**脱水症状を起こさないように水分補給も忘れずにします。**

下痢が悪化しそうで水分を控える

人もいますが、少しずつ温かい白湯や水を飲んで脱水を防ぎます。

ひどい場合は受診し、整腸剤や下痢止め薬を処方してもらいます。ただ、下痢止め薬は使用頻度に注意が必要です。おなかの調子が悪いからといって頻繁に使うと、下痢止め薬の作用によって便秘が起こり、その便秘が改善しにくくなるおそれがあります。

排便はできるだけ自然にまかせ、薬を使うのはひどい下痢や便秘のときだけにしましょう。下痢がひどく、トイレに間に合わないような場合も、失禁パッドを使用するなどの対策をしておきましょう。

肛門周囲のただれに気をつけよう

下痢を頻繁にくり返していると、

下痢がひどいときに望ましい食べ物、避けたい食べ物

望ましい食べ物

- すりおろしりんご
- スポーツ飲料
- 薄いみそ汁
- 茶碗蒸し　など

避けたい食べ物

- 冷たいもの
- 脂っこいもの
- カレーやキムチなど刺激の多い食品
- 牛乳・乳製品　など

肛門周囲の粘膜や皮膚がただれてくることがあります。

赤くなって痛むこともあるので、**排便後にトイレットペーパーで肛門を拭くときに強くこすらないように注意します。**

可能であればシャワートイレなどを使って弱い水圧で肛門を洗い、やわらかいペーパーか布でやさしく拭きます。

外出先でシャワートイレが使えない場合は、介護用のおしりふきなどを使用するとよいでしょう。

ただれがひどい場合は、放っておかず、必ず受診してください。

便秘から体調がくずれるときがある

手術後は腸の動きがゆっくりになることもあり、便がたまりやすくなります。特に直腸がんの手術を受けた場合は、たまった便は時間をかけて押し出され、少量ずつ何回かに分かれて出ることもあります。**2～3日に一度でも便通があるなら、気にしなくてもよいでしょう。**

心配なのは、便が腸管内で停滞するうちに、かたい便のかたまりとなって腸をふさぐようになってしまうケースです。こうなるとおなかが張って苦しく、食べることもできなくなる場合があります。

おならが出て、ごくわずかでも便が出ている場合は、医師に緩下（かんげ）剤を処方してもらうか、浣腸で便を出すようにします。

痛みが激しく、便もおならも出ないときは、腸閉塞が疑われるので至急受診してください。

ストーマ（人工肛門）造設術を受けた患者さんは腹圧によって便を押し出せないため、便が停滞しやすいので注意が必要です。

特に高齢者では便秘でおなかが苦しいと食事が進まず、体力が落ちて、全身状態が悪化するケースも少なくありません。このような場合は、薬で便をやわらかくして排便を促したほうが全身状態を良好に保てます。

緩下剤で調節することも。ただし、頼りすぎはＮＧ

便秘時に備えて医師に相談し、自分に合った緩下剤を処方してもらうと安心です。緩下剤にはいろいろな種類があり、薬の量を調節して自然に近い状態で排便を促すことができます。ただし、安易に

便秘を解消する方法

食物繊維の
多い食品をとる

毎日、決まった時間に
トイレに座る

腹部を温める

便意を
がまんしない

水分をとる

腹部を
マッサージする

適度な
運動をする

＼ときには／
緩下剤を使っても

[緩下剤の種類と特徴]

分類	一般名	商品名	特徴
浸透圧性下剤	酸化マグネシウム	カマ	内の水分吸収を阻止することで、便の水分を増やしてやわらかくし、排便しやすくする。
		マグミット	
		マグラックス	
アントラキノン系	センナ	アローゼン	大腸の粘膜を刺激して腸の運動を促す。服用から8～12時間後に排便が起こる。錠剤と水薬があり、水薬は数滴から十数滴を水に溶かして服用する。
		プルゼニド	
	ダイオウ	セチロ	
ジフェニルメタン系	ピコスルファートナトリウム	ラキソベロン	
	ビサコジル	コーラック	

下痢止め薬を使い、そのせいで便秘になったからといってすぐに緩下剤（かんげざい）を使うことはやめてください。

便秘がちなときには牛乳を飲んで排便を促すなど、食べ物や飲み物で排便の調節ができるようなコツをつかむことも大切です。

調節困難な場合は、酸化マグネシウムを中心とした緩下剤を用います。効果が不十分の場合はセンナのような刺激性下剤を、症状があるときだけ適宜併用します。

頻便の人はトイレの場所を確認しておく

便意があるのにがまんすると、便秘になることがあり、排便リズムがうまくととのいません。これとは逆に、直腸の手術を受けたあとは便をためておくことが思うようにできず、1日に5～6回以上も排便がある頻便の状態になって、自分の排便リズムをつかめずに困ることもあります。

頻便ではしばしば便意が起こり、そのつどすぐにトイレに行けるようにしておかなければ不安で、トイレのことばかり気にしてしまいがちです。外出するのがおっくうになる人も少なくありません。

安心して過ごす方法として、外出先ではまずトイレの場所を確認し、同行者がいれば事情を伝えておくと安心です。自分の排便のリズムに慣れてくると、何を食べたときにどれくらいの時間で便意が起こるのか、予測ができるようになるので、余裕をもってトイレに行けるようになります。

もし、**外出時に排便トラブルが起こった際にはオストメイト対応のトイレが便利です。**ストーマ（人工肛門）や障害がある人に対応した専用トイレです。オストメイト対応トイレのある場所は、オストメイトJPのホームページで検索できます（→P169）。

排便が気になって外出できないとき

排便には精神的な要素も大きく関与しており、緊張すると便意は起こらないものです。緊張感をもち、外出をくり返すことで排便を調節できるようになります。**外出前にトイレの場所を確認し、失禁パッドを備えて、積極的に外出することをおすすめします。**

なお、緊張がなくなると急に便意を催しやすいので要注意です。

コラム

緊急時に役立つオストメイト対応のトイレ

●ストーマ用の流し台がついている

公共施設には、オストメイト（直腸切断術後にストーマ造設術を受けた患者さん）に対応できる設備のあるトイレも増えてきました。

オストメイト対応のトイレは、オストメイトの外出時、ストーマ装具から便やにおいが漏れるなどのトラブルが発生したとき、緊急処置ができる設備を備えています。

特徴は、ストーマ内の便をかがまずに捨てられる汚物流し台があることです。流し台には、ストーマを軽く洗うこともできる温水ハンドシャワーがついています。

また、ストーマ装具の交換用品や着替えを置くための折りたたみ式の台なども設置されています。

●排便トラブルの緊急処置に役立つ

このタイプのトイレは、本来、オストメイトやその他の障害のある人のための専用のトイレです。しかし、大腸がんの手術後で排便状態がまだ安定していない人が、外出時に便漏れなどトラブルの際の緊急処置にも役立ちます。

オストメイト対応のトイレには、図のような目印があります。通常の身体障害者用トイレや乳幼児対応トイレといっしょになったバリアフリートイレもあります。外出前にオストメイト対応トイレのある場所を調べておくと安心です。

●オストメイトの目印

●オストメイトの流し台

画像提供：TOTO（コンパクトオストメイトパック）

毎日の入浴で清潔と心身のリラックスを

お風呂でからだを温めると腸の動きもよくなる

手術を受けたあと、おなかの傷がふさがり、医師の許可が出れば入浴が可能です。ほとんどの人は、退院後には自由に入浴できるようになります。

入浴は皮膚の清潔を保ち、全身の血行をよくします。**疲労回復や心身のリラックスを促す効果もあります**。また、**寝つきもよくなります**。毎日の生活にゆっくりと入浴する時間を設けましょう。

お風呂でからだを温めると腸の動きもよくなります。ぬるめのお湯にゆっくりとつかりながら、おなかに大きく「の」の字を描くようにマッサージをすると、便秘の改善にも効果的です。マッサージするときは、おなかの手術痕を強く押したりこすったりしないように注意しましょう。

トイレは心配だが入浴のメリットは大きい

術後は排便のコントロールがむずかしいこともあり、下痢や頻便があると入浴を避けたくなりますが、それでも**入浴でからだを温めることは大きなメリットがあります**。浴室を汚すのが心配なときは、介護用の簡易便座などを脱衣所に用意しておくとよいでしょう。

もし、汚してしまっても大丈夫なように家族にも手助けしてもらうと安心です。

ストーマ造設術を受けた患者さんも同じく入浴は可能です。特に装具が接する部位は、汗や面板（めんいた）の粘着剤などで汚れやすいので、やさしく洗い、つねに清潔を心がけます。装具をつけたまま入浴するときは、ミニパウチや入浴用キャップなどを使用すると快適です。

入浴するときに注意したいこと

入浴NGなら入浴しない

傷の治りが悪く、医師から入浴の許可が出ていないときは入浴してはいけない。

最初はシャワーから

退院直後はシャワーだけで済ませるか、短時間の入浴でからだを慣らしていく。

浴室と脱衣所の温度差をなくす

冬場は心臓血管系への負担を軽減するため、暖房などで工夫する。

持病がある場合は入浴NGのことも

ほかの持病があって入浴を禁止されている場合も入浴NG。

長湯は避ける

温度が熱すぎるお湯につかったり、長時間入浴したりするのは避ける。

おなかやおしりに負荷をかけない

洗い場では腹部に圧力をかけないように、入浴用椅子などに座って楽な姿勢に。

足元に注意

すべらないように足元に注意する。浴室の床には、すべり止めパッドなどを使用する。

家族の協力が大事

トイレが心配なときは簡易便座を近くに用意しておく。家族に協力を頼むことも大切。

先生、教えて Q&A

入浴中に便意が起こったら不安です

入浴中の急な便意を避けるには、食後すぐの入浴は避けます。食前か、食後少し時間をおいてから入浴します。急な便意が不安なときは、介護用の簡易便座を脱衣所に備えておくと安心です。

ストーマ（人工肛門）のある人も便が出やすくなるので、食後すぐの入浴は控えます。装具を付けないで入浴するときは、食前か食後しばらく時間をあけて入浴します。

薬をのむときに注意したいことは？

「お薬手帳」を携行すると便利なことがたくさん

退院時に医師から今後の治療についての説明と、当面必要な薬の処方を受けます。処方される薬は、医師の指示に従って用量・用法を守って服用してください。

大腸がん以外に持病の治療も受けている場合は薬の種類も多くなり、飲み合わせや重複などの確認、また服用の管理もたいへんです。このような場合は「お薬手帳」を活用します。処方箋といっしょに手帳を薬局にもっていくと、処方された薬の情報が記入されます。

複数の医師や複数の医療機関にかかるときも手帳を提示することで、薬の服用履歴を正しく伝えることができます。

通院時には、健康保険証や診察券などといっしょにつねにお薬手帳も携行するようにしましょう。

最近、冊子式のお薬手帳のほかに、「eお薬手帳」といってスマートフォン用のアプリも登場しています。処方薬の管理だけでなく、市販薬の登録や服薬の時間をアラームで知らせる服薬スケジューラの機能もあり、とても便利です。

市販薬を使うときは必ず医師に相談する

医師の指示で薬を服用しているときは、むやみに市販薬を用いないようにしましょう。薬によっては、副作用や相互作用が生じることがあるからです。

相互作用とは、複数の薬を使用することによって薬どうしが互いに影響し合い、作用が強くなったり弱くなったりすることです。副作用と同じく、注意が必要です。

現在服用中の薬とのみ合わせても問題ない薬かどうか、市販薬を使用する前に必ず医師に確認してください。こうした状況に備えて、ふだんよく使用している頭痛薬やかぜ薬などの市販薬について、前もって医師に使用しても問題ないかを確認しておくとよいでしょう。

医師の許可を得て市販薬を使用することになったら、そのこともお薬手帳に記入しておきます。

市販薬の購入時に、薬局やドラッグストアにいる薬剤師に相談するのもひとつの方法です。このときお薬手帳があると、服用中の処方薬を正確に伝えられます。

薬を人にあげたり、もらったりするのはダメ

処方された薬を自分以外の人にあげたり、もらったりするのは厳禁です。処方された本人以外が服用するのは危険です。

また、薬は決められた時間に、決められた量を間違えないように服用します。**のみ忘れたときに、まとめてのむのはよくありません。**

ただし、緩下剤の服用については効果に個人差があり、下痢になったときには1日の服用回数を3回から2回などに減らす必要がある場合も。こうした場合の対処法を事前に医師に聞いておきます。

服用忘れやのみ間違いを防ぐため、ポケット付きのお薬カレンダーやピルケースなどで管理します。

先生、教えて
Q&A

再発予防にサプリメントは有効ですか?

サプリメントは栄養補助食品や健康補助食品に分類されるもので、薬ではありません。また、大腸がんの再発予防に効果があるサプリメントも存在していません。「がんに効く」などの謳い文句で市販されている高額なサプリメントや自由診療がありますが、有効性や安全性、医学的な根拠が示されていないことが多いものです。

サプリメントに頼って治療がおろそかになり、命にかかわるケースもあります。サプリメントを使ってみたいときは、まず主治医に相談して、よく話を聞きましょう。

医師と連携し、全身の健康管理をする

何かあったときの対応と手続きを知っておく

大腸の手術後は、まれに腸の癒着やねじれなどの異常が起こることがあります。こうした異常は、退院後しばらくたってからみられることもあります。

腹部の激しい痛みや吐き気など、腸閉塞と思われる症状が現れた場合や、急に体調不良が起こったときなどはすみやかに受診します。

緊急時に備えて、診察券や健康保険証、お薬手帳などはまとめて決まった場所に保管しておきます。

また、医療機関などの緊急連絡先や主治医の名前などの情報をノートにまとめておくか、スマートフォンの住所録などに登録しておきましょう。

別の病院にも通っていたら病状報告を忘れずに

大腸がんの手術を受けた医療機関が自宅から遠く、ふだんの持病の管理や別の病気のときには家の近所のかかりつけ医に診てもらっている場合は、そのかかりつけ医にも大腸がんの手術後の経過を含めた病状報告をしておきます。

大腸がんの治療に関する情報が、必要なことがあるからです。

そのため、大腸がんの手術を受けた病院の主治医にあらかじめ診療情報提供書などを書いてもらうように頼んでおきましょう。

別の病気で手術や処置などの医療行為を受けるときも、事前に大腸がんの手術を受けたことを必ず報告してください。こうした詳しい情報が診断や治療には不可欠です。この場合も診療情報提供書を渡しておくと安心です。

診療情報提供書は、患者さんの現在までの症状や診断・治療内容などをほかの医師が見てもわかるように、主治医が書面にしたものです。一般には「紹介状」と呼ばれています。有料なので、診察情報提供料がかかります。その費用は診察費などに加えて診療費として請求され、健康保険が適用されます。

定期検診を利用して上手に健康管理を

退院後の通院や定期検診は、その後の健康管理において重要な役割があります。**がんの手術後、少なくとも5年程度は定期検診を受け**てください。定期検診のモデルケースを左図に示します。

通院日や検査日ごとに、「もう少し長く歩けるようになる」など、自分なりの目標を設定するとよいでしょう。また、受診した際にはふだんの生活で気になっていることがあれば医師に質問し、体調管理に役立てましょう。

定期検診のモデルケース

退院

1回目

退院から約2週間後

医師の指示どおり定期検診を受け、手術の傷や症状を診てもらう。

通院ごとに目標をもつと、通院も苦にならない

2回目

約1か月後

病状の診察と血液検査、CT検査などを受ける。便秘や下痢などの症状があれば相談する。

職場復帰のことなど注意事項を聞いておこう

3回目

約3か月後

血液検査、CT検査を受ける。職場復帰を考えているときは、その時期を医師と相談する。

転移や再発など心配事を聞いておこう

4回目～

3か月～6か月ごと

定期検診を継続。再発や転移がないか、検査を5年間受ける。

また、術後の体調管理には、月に1回は体重を測定するようにします。手術後は食事量が減るので、体重も減少するのがふつうですが、退院後に食べられる量が増えていけば体重も元どおりになります。定期的に体重を測ることで、自分の体調や健康状態を把握できます。

月に1回くらいは体重を測り、健康管理をする。

先生、教えて
Q&A

旅行に行くことはできますか？

大腸がんの手術後、排便の状態が落ち着いて、体調も体力も回復してきたら旅行してもかまいません。ほとんどの人は退院後3か月以上経過すると、旅行ができる状態まで回復しています。人工肛門をつくった人もほぼ同様です（人工肛門のある人の旅行の注意点はP77参照）。

ただし、事前の準備は入念にしましょう。まず、無理なスケジュールを立てないこと。旅程はゆとりをもたせ、最初は1泊2日程度から始めてみます。

旅先のトイレの場所を事前に確認し、体調が急変したときのために旅行先で診てもらえそうな医療機関も調べておきます。排便トラブルに備えて、予備の着替えを多めに用意します。

主治医に薬を多めに処方してもらい忘れずに持参し、注意すべき症状についても確認しておきます。

移動の飛行機や新幹線などでは、トイレに近い座席を選びます。旅先では気がゆるみ、食事や飲酒の制限を忘れがちです。下痢や便秘になりやすいため、おなかの調子をみて食事に注意しましょう。

コラム

退院後の全身管理はかかりつけ医と一緒に、が理想

●かかりつけ医と専門医の違い

かぜをひいたときや、ちょっとした体調不良のときに、いつも受診している病院や医師を「かかりつけ病院」「かかりつけ医師」といいます。高血圧や糖尿病、脂質異常症などの生活習慣病で定期的に、かかりつけ病院を受診している人もいるでしょう。

かかりつけ病院やかかりつけ医は、ふだんから患者さんの持病や様子を把握していることが多く、全身の健康管理を相談するうえで頼りになる存在です。

大腸がんの患者さんの中には、かかりつけの病院で行った健康診断から大腸がんがみつかったという人もいます。その場合、紹介状を持って専門病院を受診し、治療を始めます。

一方、がんをはじめとするむずかしい病気の治療や手術、専門的な検査などは、専門医のいる専門病院で受けます。

●術後の管理をかかりつけ医でできるのが理想だが…

がんをはじめとする、むずかしい病気の治療や手術を受ける患者さんは、年々増えています。そのため、専門病院の負担を減らすため、がんの手術・退院後の再発予防についてはかかりつけ医で管理する、という流れを作ろうとしています。

しかしながら、実際に実施されているのはわずかです。なぜなら、患者さんとしては手術を受けた専門病院のほうが安心だという思いがあり、またかかりつけ病院では専門的な検査ができないこともあり、連携がむずかしいからです。

そのため現在でも、退院後も手術を受けた専門病院で定期検診をすることが一般的です。自宅や通勤先から遠かったり、待ち時間が長かったり、不便なことがあるかもしれませんが、再発を防ぐために必要と考えましょう。

退院後の生活を支える家族の役割

退院後の患者さんにどう接するのがいい？

患者さんが退院してきたら、**家族はできるだけさりげなく、ふだんどおりに接してください。**体力が著しく低下しているのでなければ、患者さん自身の身の回りのことはできるだけ本人にまかせましょう。自分で少しでもからだを動かしたほうが、回復が早まります。

退院時には、患者さんだけでなく家族に対しても、病院側から生活面での注意点などの説明が行われます。

さしあたって心配されるのは食事と排泄（はいせつ）の問題ですが、「食事は消化のよいものを食べる」「排泄の状態が以前とは違う」といった基本的なことを理解したら、あまり神経質にならず、おおらかにかまえることも大切です。

家族の協力は大切。でも気負いすぎないこと

自宅療養では家族の協力とともに、患者さん自身の自己管理が重要です。患者さんが不安そうにしているときは寄り添うことが大切ですが、互いに甘えすぎたり甘えさせすぎたりしない、適度な距離感・関係をつくりましょう。

仕事をもっている家族は、無理のない範囲でサポートします。食事の献立は患者さんの要望を聞きながら臨機応変に対応し、忙しいときはつくり置きした食事を電子レンジで温めるなど、患者さんが自分でできることは積極的にやってもらいましょう。排泄に関することも同様です。できるだけ患者さん本人にさせてください。

協力することは大切ですが、家族が気負いすぎる必要はありません。肩の力を抜きましょう。

患者さんに声をかけることも大切

大腸がんの手術後は、少なくとも5年間は定期検診を受けることが肝心です。体調が回復し、排便も安定してくると患者さんはつい「もう大丈夫だ」と安心して受診を忘れたり、行かなくなってしまったりすることがあります。

そんなときは、家族が積極的に声をかけて受診を促しましょう。家族全員がよく目にするカレンダーなどに受診日の印をつけておくのもよい方法です。

定期検診は、再発や転移があったときの早期発見・早期治療につながります。もし、再発や転移が見つかっても早期に治療を開始すれば回復が望めます。そのことを家族がよく理解し、本人が欠かさずに受診するように協力することが大切です。

患者さんが再発・転移をおそれて不安になり、定期検診や受診を避けているようなときは医師に連絡し、家族が付き添って受診するようにしてください。

パートナーに声がけし、定期検診を促そう。

先生、教えて Q&A

大腸がんは遺伝しますか？

大腸がんのうち、「家族性大腸腺腫症」と「リンチ症候群」は遺伝性のがんであることがわかっています。

ただし、この2つはそれほど頻度の高いものではありません。

原因となる遺伝子が明らかになっているため、遺伝子診断が可能です。心配なときは、子どもに遺伝しているか調べることは可能なので、医師に相談してみましょう。

在宅介護が必要になったら

在宅介護には公的制度の活用が可能

退院後に在宅介護が必要な場合は、公的サービスを利用する方法があります。

公的制度のうち、**65歳以上の人は介護保険制度を利用できます。**

利用するには、市区町村の担当窓口で介護保険制度の利用申請を行います。介護が必要な人の状態によって、要支援1～2、または要介護1～5の要介護度に分類されており、審査で介護が必要だと認定されれば、その要介護度に応じて利用限度額が決定します。

介護サービスには訪問看護や家事援助、福祉機器のレンタルなどがあります。利用料には介護保険給付が用いられ、利用者はその1～3割を負担するだけで済みます。

申請から認定、介護サービスの決定までは1か月以上時間がかかりますが、長期的な療養が必要なときには活用したい制度です。

ほかにも身体障害者手帳の交付を受けている人（↓P82）は、その規定に応じた福祉サービスを受けられることもあるので、担当窓口に確認してみましょう。

在宅医療行為が必要なときはよく理解して

手術後の容体によっては在宅医療行為が必要なこともあります。家庭で行われることが多いのは、酸素吸入やたんの吸引、排尿困難がある場合の導尿、口から食事がとれない場合の経管栄養などです。本来、医師や看護師が行う処置ですが、家族には在宅医療行為の一部が認められています。

必要な場合は必ず医師や看護師の指導を受け、機器の扱いなども十分に理解したうえで行います。

[在宅介護サービスは多岐にわたる(介護保険制度を利用する場合の例)]

サービス名	内容
訪問介護	ホームヘルパーが訪問し、身体介護や家事を援助する。
訪問入浴介護	浴槽を積んだ車が自宅を訪問。寝たきりでも入浴が可能に。
訪問看護	看護師などが訪問し、医師の指示のもとに病状を観察、看護。
訪問リハビリテーション	理学療法士などが訪問し、医師の指示をもとに機能回復訓練。
居宅療養管理指導	医師などが訪問し、療養を指導する。通院が困難な人が対象。
通所介護(デイサービス)	日帰りで介護施設に通って介護サービスを受ける。
通所リハビリテーション(デイケア)	日帰りで介護施設に通ってリハビリを受ける。
短期入所生活介護(ショートステイ)	在宅が一時的に困難な場合に宿泊する。
短期入所療養介護	ショートステイに医療的なケアが備わっているもの。
福祉用具貸与	介護に必要な福祉用具のレンタル費を補助。
住宅改修費の支給	在宅療養・介護に適した住宅に改修するための費用を補助。
夜間対応型訪問介護	夜間の巡回や緊急時の対応をする。

※サービスを受ける場合の保険適用額は、要介護度ごとに限度額が定められている。

先生、教えて Q&A

家族が悩みを相談できるところはありますか?

がんと診断されたとき、家族もどう受け止めてよいのかわからず、悩むケースが少なくありません。

このような場合は、全国のがん診療連携拠点病院(がん拠点病院)に設置されている「がん相談支援センター」に相談できます。がんの専門相談員である医療ソーシャルワーカーや看護師がいて、治療の情報や生活支援、助成制度などのアドバイスが受けられます。

コラム

身近な医療福祉サービスを上手に活用するために

●頼りになる医療ソーシャルワーカー

退院後に自宅で療養するための準備や、社会福祉による援助を受けたいときなど、わからないことがあるときはソーシャルワーカーに相談するとよいでしょう。医療ソーシャルワーカーは、病気で治療・療養中の患者さんとその家族が抱える問題の相談を受ける専門スタッフです。

がん拠点病院には**相談支援センター**や相談窓口などの名称で、がんの専門相談員も在籍しており、相談に応じています。

また、がんの積極的な治療をやめて緩和治療に切り替えたい場合には、ホスピスなど転院先についてもアドバイスが受けられます。ほかにも、心理的な問題、悩みなどにも耳を傾けてくれます。

病気の治療・療養に関する問題であれば、患者さん本人はもちろん、家族が相談に出向いてもかまいません。総合病院などでは「医療相談室」などの名称で、医療ソーシャルワーカーが常駐しているところも増えています。

ただし、ひとつの医療機関あたりの人数は少ないのが実情です。医療ソーシャルワーカーが常駐していない場合は、最寄りの保健所や福祉事務所などに問い合わせると紹介してもらえます。

●介護の相談はケアマネジャーに

在宅ケアを受ける場合は、**訪問看護師**や**ホームヘルパー**などがふだんの療養を支えてくれます。

介護保険制度（→P122）を利用する場合は、これにケアマネジャー（介護支援専門員）の支援が加わります。こうした専門スタッフに話を聞き、身近な**医療福祉サービス**を利用しましょう。

介護保険制度の利用を考えている場合は、まず居住している役所の相談窓口か、**地域包括支援センター**を訪ねて話を聞いてみるとよいでしょう。

第5章

再発・転移への備えと治療法

再発・転移はなぜ起こる？

ステージⅢで約30％が再発。早期発見が大事

大腸がんが再発する割合はステージによって異なり、進行するにしたがって再発率は高くなります。

粘膜内にがんがとどまっている場合（ステージ0）は転移しませんが、ステージⅠの粘膜下層まで浸潤したがんの再発率は約4％、固有筋層まで浸潤したがんの再発率は約7％とされています。

さらに、ステージⅡになると再発率は約15％に、ステージⅢでは約30％と高くなってきます（↓P131）。

このことから、ステージが進行していた場合は再発する可能性があることを忘れずに、術後の定期検査を必ず受けて、早期発見につなげることが大切です。

がん細胞は血流にのって離れた臓器にもおよぶ

がんの最初の発生場所を「原発巣」といい、がん細胞はその原発巣の周囲の組織にしみ込むように拡がります。これを「浸潤」といいます。大腸がんの手術では、この原発巣だけでなく、原発巣周辺のリンパ節（領域リンパ節）も切除します。ところが、手術の時点で見つかっていないがん細胞や取りきれなかったがん細胞があると再び増殖し、原発巣の周辺の組織や肝臓、肺などの臓器に拡がります。これが「再発」です。

そして、増殖したがん細胞が血液やリンパ液にのって体内のほかの場所に運ばれ、そこで病巣をつくることを「転移」といいます。

転移には、血液を介する「血行性転移」と、リンパ液によって運ばれて起こる「リンパ行性転移」があります。さらに、がんがあち

再発・転移の場所と、広がり方

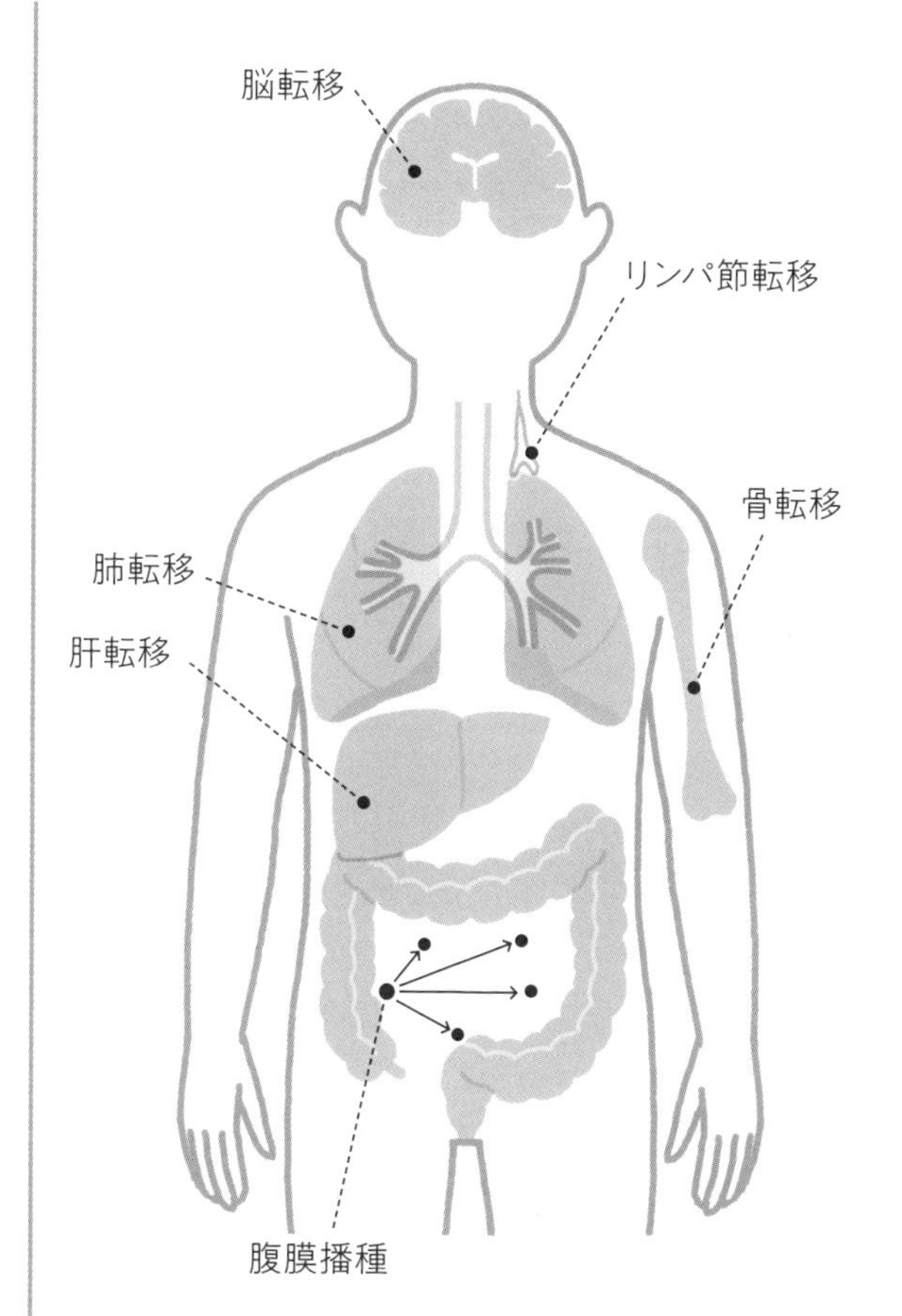

リンパ行性転移

がん細胞がリンパ液にのり、体内のリンパ管を通じてリンパ管の中継地点であるリンパ節に至り、増殖する。原発巣の大腸から遠いリンパ節に転移することもある。

血行性転移

がん細胞が血液にのり、腸壁の中の細い静脈を通じてほかの臓器へ転移する。血液は門脈という血管を介して肝臓に集まるので、肝転移が多くみられる。

大腸の局所再発

最初にがんが発生した周辺に再びがんが見つかる。

浸潤

がん細胞が増殖し、じわじわと広がる。腸壁の粘膜表面から奥の筋層へしみ込み、進行すると腸壁を突き破って周辺臓器に直接広がったり播種（はしゅ）性転移をする。

播種（播種性転移）

がん細胞がまき散らされるように広がる。腹膜や胸膜などの表面に転移し、腹部全体に広がると「がん性腹膜炎」を引き起こす。

遠隔転移

血液やリンパ液によってがん細胞が遠く離れた臓器に運ばれる。肝転移、肺転移、脳転移、骨転移、大動脈周囲リンパ節転移など。

こちにまき散らされたように拡がる「播種性転移」があります。

大腸がんの再発・転移には局所再発と遠隔転移がある

大腸がんの再発・転移は、以下の2つに大きく分けられます。

●局所再発　がんがもともとあった部位やその周辺で再発するもので、直腸がんで多くみられます。手術でつなぎ合わせた部分（吻合部）の周辺や骨盤内などにがんの腫瘤を形成して広がります。

●遠隔転移　がん細胞が血液やリンパ液で運ばれ、大腸から離れた場所にがんが発生するものです。腸管内の静脈の血液は、門脈を通じて集まっているため、肝臓に最も多く転移がみられます（肝転移）。進行すると、がんが腹膜に散らばる腹膜播種や、リンパ節転移、肺転移のほか、脳や骨などへの転移が起こることもあります。

がんの原発巣から遠く離れたリンパ節（大動脈周囲やそけい部など）に転移することを「遠隔リンパ節転移」といいます。

結腸がんと直腸がんでは再発率が違う

局所再発は、結腸がんよりも直腸がんに多くみられます。その理由は、腸管の長さや腹腔内での位置が関係しています。

結腸は直腸に比べて長く、おなかの中では腸間膜に吊るされて、比較的ゆったりとした空間にあります。そのため切除手術が行いやすく、がんができている腸管を含む周辺の組織を広範囲に、容易に切除できます。結腸がんは直腸がんより局所再発はわずか（約0.7％）です。肝転移（約7％）などの遠隔転移が多い傾向があります。

直腸は結腸よりもかなり短く硬い骨盤に囲まれ、骨盤内臓器やその機能にかかわる重要な神経などが隣接しています。そのため、がんとその周辺組織を完全に切除するのが困難なケースがあります。こうした影響で手術後にがん細胞が直腸周辺に残ってしまうことがあり、結腸がんよりも局所再発が多くなりやすいのです（約4％）。

再発の多くは5年以内に起こる

がんの再発はほとんどが手術から5年以内に起こっています。

大腸がんの再発は、全体の18・7

%に起こります。ステージによってその割合は異なりますが、再発のうち約80%以上は術後3年以内に再発の診断を受けています。また、95%は再発の診断を受けた時期が術後5年以内です。

つまり、**大腸がんが再発するとしたら、そのほとんどが術後3～5年以内**に診断されているのです。再発の場合も早期発見・早期治療が重要です。この期間中に定期検査を受ける理由はここにあります。

そして、5年以上再発の診断がなければ治癒(ちゆ)したとみなします。

大腸がんが最も再発しやすいのは肝臓です。その次に多いのが、結腸がんでは肺への転移で、直腸がんは局所再発（直腸周辺）です。

離れた臓器への転移も定期検査を受ければ早期発見が可能です。

再発・転移が起こりやすい臓器

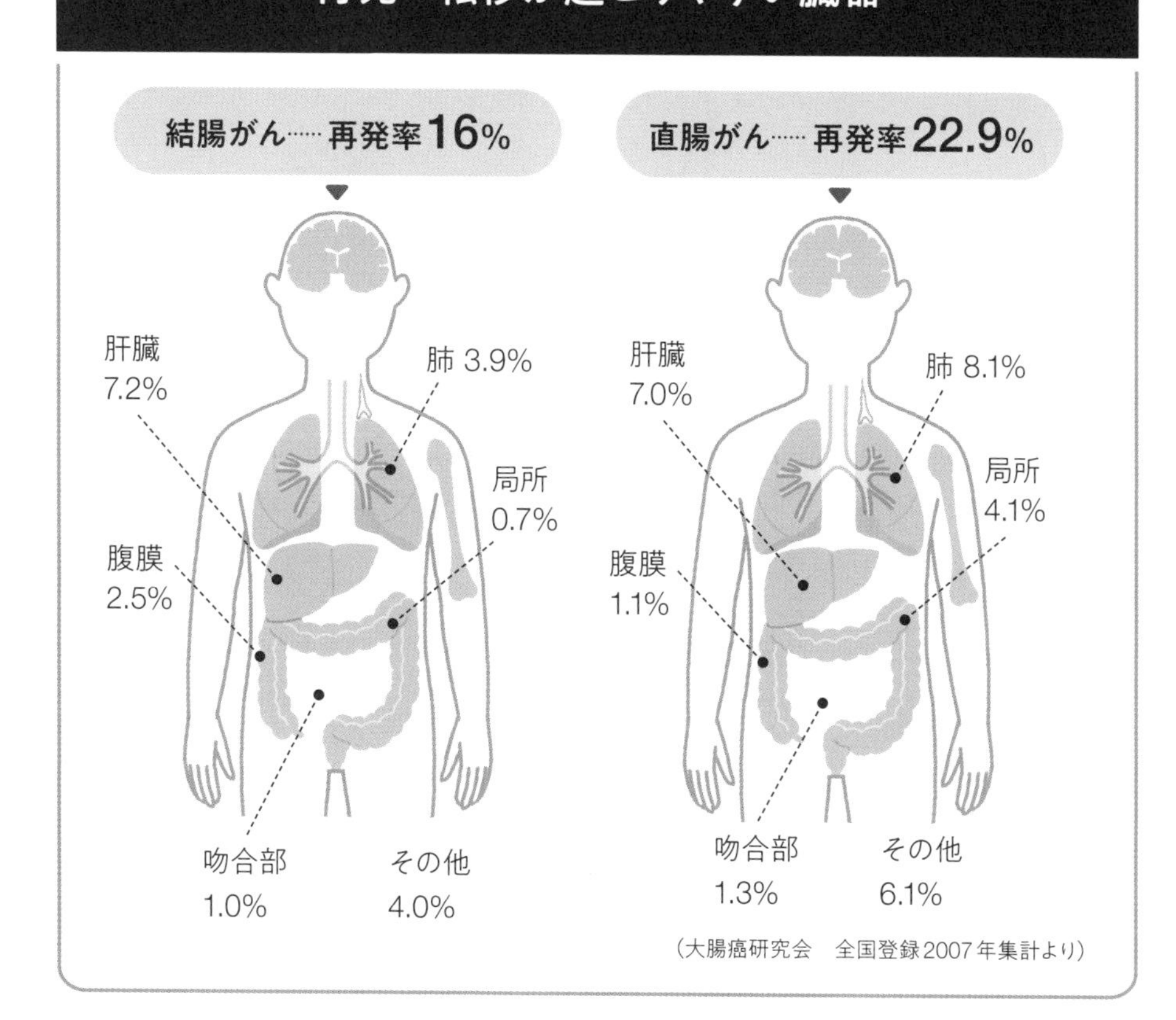

（大腸癌研究会　全国登録2007年集計より）

進行度によって再発・転移の頻度が異なる

大腸がんの進行度は、がんが大腸粘膜の表面からどの深さまで達しているか、リンパ節転移と遠隔転移や腹膜播種(はしゅ)の有無によってステージ0～Ⅳに分けられます。

がんが粘膜下層にまでとどまるものを早期がん、固有筋層およびより深部に達するものを進行がんといいます。早期がんでも10％ほどにリンパ節への転移がみられ、ステージⅢに分類されます。

がんが粘膜内部にとどまっているステージ0では手術または内視鏡治療によってがんを完全に切除できていれば再発はほとんどありません。

しかし、左上図にあるようにステージⅠでも粘膜下層まで浸潤(しんじゅん)していれば再発率は約4％に、固有筋層まで浸潤していれば約7％と高くなります。ステージⅢになると約30％と高い再発率となります。

進行度が低ければ再発の可能性も低い

がんは進行度が高いほど再発の可能性は高くなりますが、逆に進行度が低ければ再発の頻度も低くなります。がんを早期発見できて、あまり進行していないうちに手術を受けたのであれば、再発を過度に心配する必要はないでしょう。

また、再発の可能性が高くても、術後補助療法（↓P42）によって再発を抑えられることがあります。いずれにしても術後の定期検査で早期発見することが肝心です。

先生、教えて
Q&A

手術後にできたポリープはがんになりやすい？

大腸にできるポリープがすべてがんになるわけではありませんが、5㎜を超えるものはがん化の可能性が高く、1㎝を超えると約3割ががん化します。

大腸がんで手術を受けたことがある人は、そうでない人と比べて再びポリープががん化する可能性がやや高くなります。通常なら経過観察のポリープでも、切除してがん細胞がないか調べます。

大腸がんの進行度と再発率

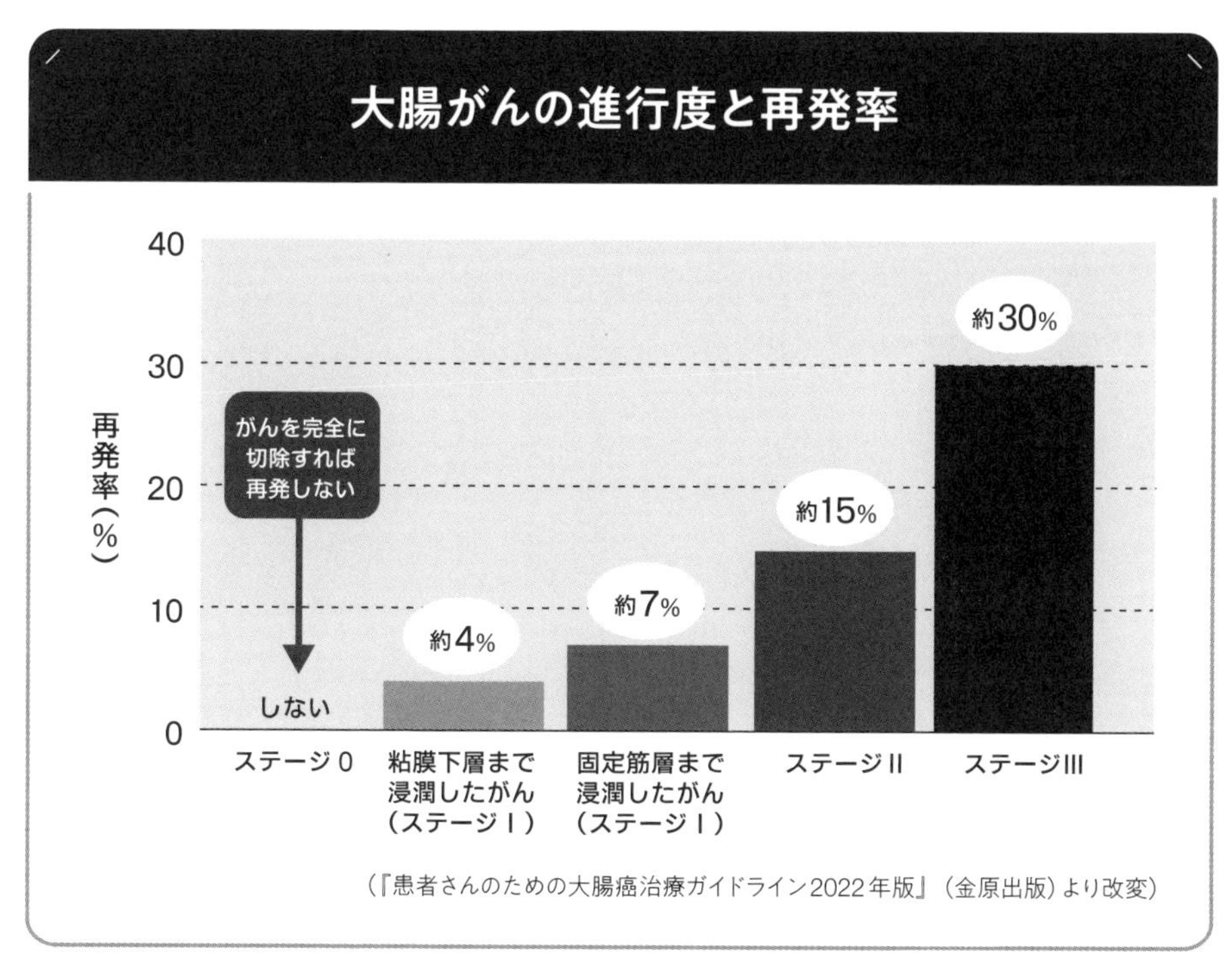

（『患者さんのための大腸癌治療ガイドライン2022年版』（金原出版）より改変）

大腸がんの進行度

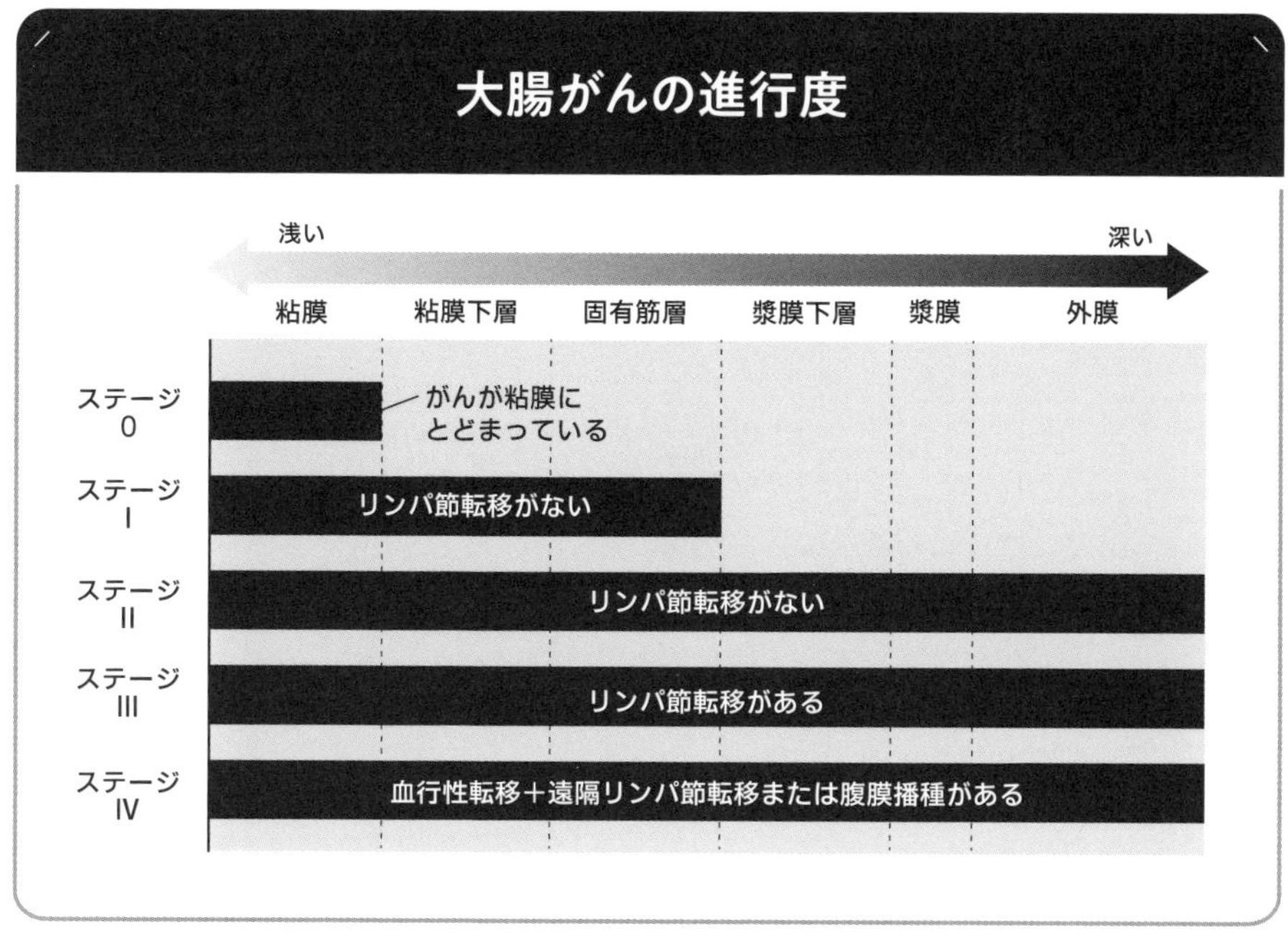

再発・転移の部位別起こり方と症状

再発・転移しても無症状のことが多い

再発・転移が発見されるきっかけは、何らかの症状がある場合と、そうでない場合があります。

たとえば、肝転移や肺転移があっても初期には症状がありません。どんな再発・転移でも初期には患者さんの自覚症状がないことがほとんどなのです。再発に気づくきっかけの多くは、定期検査の画像検査の所見や血清腫瘍マーカーの異常高値などによるものです。

患者さんが痛みや出血などの自覚症状を訴え、それによって再発が発見された場合は、かなりがんが進行していると考えられます。

しかし、**定期検査を確実に受けていれば、自覚症状が現れる前に再発を発見できます。**

局所再発するとき起こりやすい症状

手術で可能なかぎりがんを切除しても、目に見えないがん細胞が少しでも残っていれば、直腸周辺に再発することがあります。

●血便・下血・痛み

直腸がんの局所再発では、進行するとおしりや肛門の痛み、血便、下血などがあるのが特徴です。また、片側の下肢がむくむこともあります。がん病巣が大きくなり、周辺組織を圧迫すると痛みが起こります。臀部痛や下肢痛が多く、直腸周辺にある仙骨に転移すると、さらに痛みが強くなります。

血便や下血は粘膜表面にがん細胞が拡がることによる症状で、最初にがんに気づいたときの症状とよく似ています。

手術の吻合部にがんが再発すると、最初の自覚症状として血便が現れることが多く、さらに進行すると吻合部が狭くなって排便困難や、病巣周辺の血行不良によって膿がたまることもあります。

肝臓に転移すると起こりやすい症状

肝転移は、大腸がんの再発で最もよくみられる血行性転移です。

肝臓には、胃や腸などの消化管からの血液が門脈という太い静脈を通じて集まります。その血液中にがん細胞が混じって肝臓に到達し、増殖するのです。

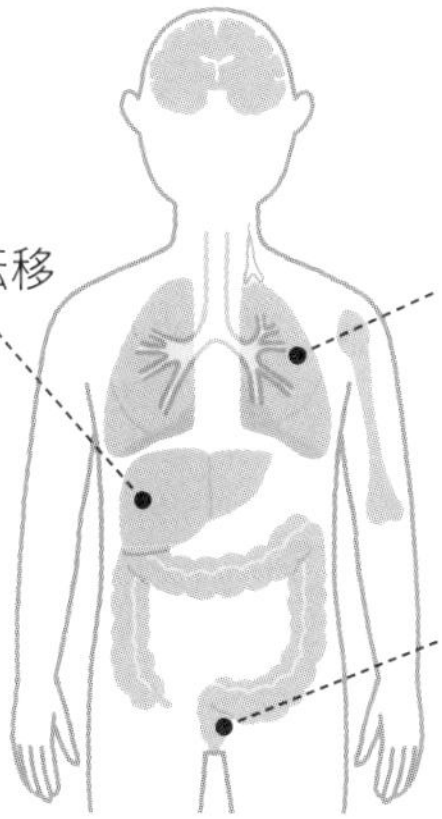

●黄疸

肝転移の初期は無症状ですが、進行すると右上腹部の張り感、右**上腹部の痛み、腹水の貯留や両下肢のむくみ、黄疸**などの症状が現れます。黄疸では、皮膚や白目が黄色っぽくなります。さらに皮膚のかゆみも出ます。黄疸は肝臓や胆管にできたがんによって、胆汁が十二指腸に流れるのを妨げられることで起こります。黄疸が進行すると、皮膚は黄色から赤銅色に、尿は紅茶色になります。

さらにがんが進行すると、黄疸も悪化します。ほかにも右上腹部のしこり（転移で大きくなった肝臓を触るとわかる）、圧迫感が起こり、最終的に肝機能不全に陥り、意識が薄れます（肝性脳性）。

肺に転移すると起こりやすい症状

肺には酸素を運搬するための血液が集まってきます。そのため、肺胞に血液中のがん細胞が引っかかって、肝臓と同じように血行性転移が起こりやすくなっています。

●せき、たん、呼吸困難

肺への転移は、初期には自覚症状がありませんが、肺胞にがん病巣ができて進行すると、さまざまな症状が現れます。せきやたんが増え、気管支の粘膜が侵されると血たんが出ることがあります。

進行すると肺転移のがん病巣の増大によって、気管支や気管が圧迫されて気道の狭窄や閉塞が生じ、息苦しくなり、酸素の吸入が必要になることもあります。

骨への転移で起こりやすい症状

骨の内部には動脈や静脈が通っているため、血行性転移が起こることがあります。大腸がんの骨転移はあまり多くはありませんが、直腸がんでやや多くみられます。転移する部位は骨盤や脊椎、大腿骨、肋骨などへの転移がみられることがあります。

●疼痛

骨転移のおもな症状は疼痛（とうつう）です。ジンジンとうずくような痛み方で、進行がん特有の症状のひとつです。

さらにひどくなると、がんに侵された骨の組織が破壊されてもろくなり、骨折することがあります。

また逆に、骨の形成が活発化して、肥大することもあります。

ただ、大腸がんの骨転移では、**骨がもろくなる**ケースがほとんどです。治療には、痛みの緩和や骨折予防のため、放射線治療が行われます。放射線治療で90%の患者さんで痛みが緩和されます。

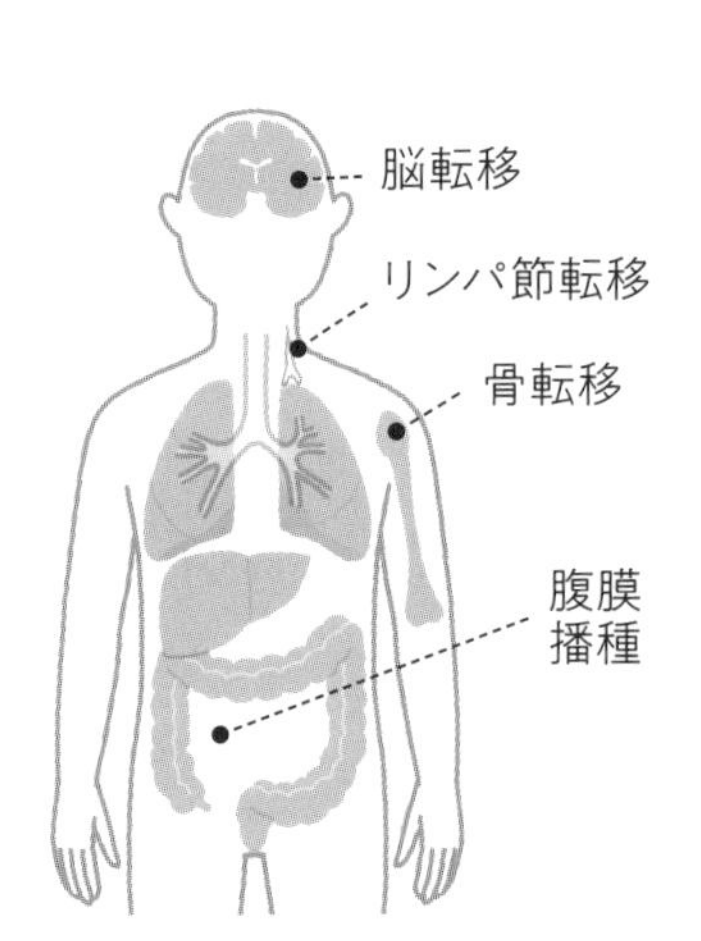

脳への転移で意識障害が起こることも

大腸がんの脳転移はあまり多くありませんが、脳も血流が多い臓器であるため血行性転移が起こることがあります。症状はやや多彩で、**頭痛やめまい、吐き気、嘔吐、しびれ、運動麻痺（まひ）や感覚麻痺など**が現れます。しかも、発見と同時に速やかに治療しないと脳が病巣に圧迫され、命にかかわります。

大腸がんの場合、術後の定期検査では必ずしも脳の検査を行わないこともあり、患者さんが自覚症状を訴えたことから発見に至ることがほとんどです。前出の症状に気づいたら、緊急で頭部ＣＴ検査を受けることが肝心です。

がんが散らばる腹膜播種

播種（はしゅ）とは、種をまいたかのようにがん細胞が散らばって広がるタイプの転移のことです。がんがかなり進行した場合に起こります。

●腹水でおなかが張る

最初は無症状ですが、進行するとおなかの張り（腹部膨満感）や痛みを感じたり、便秘が起きたりします。おなかが張るのは腸にガスがたまるだけでなく、おなかの中に腹水（ふくすい）がたまってくるためです。

以前よりおなかが大きくふくらんでいるのがわかり、腹水を採取して検査したところ、がん細胞が見つかって腹膜播種が発見されることもあります。また卵巣にがん細胞が転移しておなかがふくらむこともあります。

腹膜播種が進行すると、大きくなった腹膜播種の病巣が腸管を圧迫して腸閉塞を起こし、便やガスがたまって激しい痛みが起こります。こうした症状で食事を取れなくなると、衰弱が進行します。

リンパ節への転移は遠隔転移が起こりやすい

リンパ管は大腸壁内に網目状に分布しているため、がんの進行によってリンパ管内にがん細胞が入り込み、遠く離れたリンパ節に運ばれます。これが遠隔リンパ節転移です（→P127）。

リンパ節は、全身にはりめぐらされたリンパ管の合流地点です。腹部や足のつけ根（鼠径（そけい）部）、首やわきの下、腕など全身に存在し、病原体などの異物が混じった場合にはこれを排除する濾過（ろか）装置の役割があります。そのため、がん細胞がこのリンパ節で止められ、増殖することがあります。

大腸がんの根治手術ではがんに関連した所属リンパ節は切除されているため、転移が見つかるのはおもにがん病巣の近くにあった腹部大動脈周囲のリンパ節や鼠径リンパ節および頚部（鎖骨上）リンパ節です。もっと遠くのリンパ節に転移していることもあります。

●痛みやむくみ

腹部大動脈周囲のリンパ節に転移した場合は、がん病巣がしこりになっても表面から触れることはできません。進行すると、背中や腰に痛みが起こることがあります。

鼠径リンパ節に転移した場合は、進行するとしこりに触れることがあります。また、リンパ液の流れが妨げられ、足にリンパ液がたまってむくむことがあります。頚部のリンパ節に転移した場合はかたいしこりとして触れます。

再発・転移を発見するには

早期発見には定期検査が欠かせない

大腸がんは、ほかのがんに比べると再発の少ないがんですが、切除手術後に定期検査を欠かさず受けることはとても大切です。

大腸がんの再発は術後3〜5年以内に見つかることが最も多く、少なくともこの期間内は面倒がらずに定期検査を受けてください。

無症状のうちに再発を発見できれば、がん病巣が小さいうちに早く適切な治療ができ、そのぶん治癒の可能性も高くなります。

術後の検査通院は5年が原則

退院後は、手術の傷の治り具合の確認や下痢や便秘などの術後の症状の治療を受けるなど、数週間おきに通院するのが一般的です。しばらくすると、1か月に1回、あるいは2か月に1回というように通院間隔もあいてきます。

少なくとも**術後3年間は3〜4か月に1回、3年を過ぎて5年を超えるまでは半年に1回程度の割合で定期検査を受けるように指示**されるので、必ず受けてください。

仕事や学校に復帰すると、通院のために休まなければならず、面倒に感じるかもしれません。

しかし、もしもの再発に備えるには、術後5年間は定期検査のために通院するのが原則です。職場や学校には事情を説明し、5年間の定期検査通院を守ってください。

大腸がんの場合、術後5年以内に検査で再発が見つからなければ、完治とみなされます。医師の指示する検査はいったん終了となることが多いのですが、できればその後も半年〜1年に1回は定期検査を受けることが望まれます。

定期検診のスケジュール（一例）

退院

退院から10日～2週間後

第1回検診

手術後の傷の回復を確認し、診察で排便状態や栄養状態、生活面などをチェック。追加治療や術後症状の相談・治療、服薬の指示なども行われる。

約1か月後

第2回検診

術後の回復状況のチェックと血液検査を行う。

約2～3か月後

第3回検診

術後の回復状況のチェックと血液検査を行う。必要であればCT検査も。

以降5年間　3～6か月に1度

定期検診

治療後の回復状況の確認と、再発した場合の早期発見のための検査を定期的に受ける。

- **血液検査**…3か月に1度
- **CT検査**…半年に1度
- **大腸内視鏡検査**…術後1年以内に1度→異常がなければ、その後は数年に1度以上の間隔で検査を受ける

この5年間で
再発がなければほぼ完治

さらにそれ以降の5年間

約半年～1年に1度の定期検診

再発の有無のチェックのため、血液検査やCT検査、大腸内視鏡検査が行われる。

退院から5年以降

1年に1度の健康診断

1年に1度は健康診断を積極的に受けることが望ましい（ほかのがんや病気の早期発見にも役立つ）。

定期的な検査には どんなものがある？

大腸がんの術後の定期検査は、再発・転移がないか経過観察をする目的で行われます。

したがって、手術でがんを完全に切除できた場合でも、念のために原発部位である結腸や直腸の観察が続けられます。それと同時に、最も再発が起こりやすい肝臓や肺などを中心に検査を行います。

検査の種類や実施間隔は、手術で切除したがんの進行度（ステージ）によって異なります。進行度が高いほど検査の種類が多く、実施間隔も頻繁になる傾向があります。

定期検査では、**血液腫瘍マーカーの測定とCT検査が重要**です。CT検査では通常頸部から骨盤までの撮影を行います。

検査① 問診や診察で気になることを相談する

定期検査のための受診でも、通常の外来受診と同じく、医師が問診と診察を行います。

術後の体調や便秘や下痢などの困っている症状があれば、医師に診察してもらいます。

また、前回の受診から何か体調に変化があったり、患者さんが気になったりしている症状があれば、それも医師に伝えてください。

検査② 直腸指診、触診で局所再発を調べる

直腸指診とは、医師が直腸から指を入れて直腸壁を触って異常がないかを調べる検査です。術後の定期検査でも、直腸に局所再発が起こっていないかを調べるために必ず行われます。

腹部を軽く押したり触って、おなかに異常なしこりやふくらみがないか調べます。鼠径部のリンパ節も触診して、**異常なしこりやふくらみがないかチェック**します。

検査③ 大腸内視鏡検査では残存大腸の粘膜を見る

内視鏡を肛門から挿入して、腸管内をモニターに映し出して観察します。ストーマ（人工肛門）の造設術を受けた人は、ストーマから内視鏡を挿入します。

大腸粘膜に異常がある場合には、

内視鏡先端から器具で腸管粘膜の組織を採取し、生検（生体病理検査）に出して、がん細胞がないかを調べます。さらに、ほかの部位にポリープがないかも確認します。1cmを超える大きなポリープは約30％の割合でがん化することがあるため、病理検査を行います。

手術で大腸がんを完全に切除できたと思われる場合でも、この検査を術後1年以内に1回は行い、ポリープやその他の所見があれば、翌年も同じ検査を行います。異常がなければ、大腸内視鏡検査はその後、3～5年に1回となります。

検査④
注腸造影検査では腸管をX線で撮影する

腸内を空にした状態で肛門から造影剤のバリウムを注入し、直腸や結腸のX線撮影を行います。バリウムにより腸管の形が鮮明に撮影できます。これによって異常に狭くなっている部分などがないかを確認できます。

ただ、内視鏡検査やほかの画像検査で腸管の状態を把握できる場合はこの検査は行いません。腸管の癒着（ゆちゃく）があって**大腸内視鏡検査が**

［大腸がんの経過観察に必要なおもな検査と時期］

一般的な検査実施時期の目安／検査名	手術後1年目	2年目	3年目	4年目	5年目
問診、直腸指診を含む触診	3～4か月に1度			半年に1度	
腫瘍マーカーの測定	3～4か月に1度			半年に1度	
胸部CT検査	半年に1度			半年～1年に1度	
腹部CT検査	半年に1度			半年～1年に1度	
骨盤CT検査	半年～1年に1度				
大腸内視鏡検査または注腸造影検査	術後1年以内に実施。そこで何か所見があれば翌年も実施。何もなければ3～5年に1度				

できない場合などに行われます。

検査⑤
腫瘍マーカーでがんを見つける

体内にがん細胞が存在すると、ある特定のタンパク質や酵素、ホルモンなどが血液中に異常に増加します。これが腫瘍マーカーとして測定することが可能です。血液検査を行って腫瘍マーカーの血中濃度が上昇しているか調べることで、がんの再発の可能性が推測できます。

ただし、腫瘍マーカーの数値が高いからといって、必ずしもがん細胞が体内にあるとは限りません。人によっては生まれつき特定の腫瘍マーカーが高い人もいます。また、がん以外の病気に反応して、腫瘍マーカーが上昇することもあります。逆に、がんが存在していても数値が高くならない人もいます。

進行大腸がんの約半数は腫瘍マーカーは高値になりますが、逆にいうと半数は進行大腸がんでも数値が異常値になりません。あくまで判断材料のひとつで、**この検査だけでがんがあるかどうかを確定することはできません。**

腫瘍マーカーではCEAとCA19－9に注目

腫瘍マーカーには多種類あり、がんの発生する臓器ごとに増加する腫瘍マーカーが異なります。

大腸がんの手術後は、おもにCEAとCA19－9という物質の血中濃度を測定します。これらは大腸がんのがん細胞が体内のどこかに存在すると増加します。

CEAの血中濃度の基準値は5ng／mL、CA19－9の基準値は37ng／mLです。大腸がんの切除前は数値が高く、切除後は基準値以下に戻ります。つまり、切除後もこの数値が高い場合はがんが取りきれていない可能性が考えられます。

がんの切除後、これらの数値がいったん基準値以下に戻ったのに、再び上昇したら再発のサインかもしれません。特にCEAは再発例の70％で高値となり、症状が出現する前に再発を疑い、早期に発見するきっかけとなる重要な検査です。

すでに述べたように、腫瘍マーカーの数値が高くてもがんでない場合があるので、この検査だけで再発の確定診断をすることはできません。しかし、いち早く再発の可能性をとらえ、より詳しい検査に進むか検討する目安としてはとても重要な役割があります。

●上昇が続いたら精密検査を

通常、CEAまたはCA19－9の数値が3回連続で右肩上がりに上昇している場合は、たとえ基準値の範囲内であっても再発の可能性が高いといえます。

この場合は、頸部、胸部、腹部、骨盤のCT検査を中心とした、再発診断のための精密検査をすぐに受けるべきであると考えられています。

検査⑥ 胸部CT検査で肺の転移を見つける

大腸がんの肺への転移を見つけるには、おもにCT検査やMRI検査が行われます。**X線検査では見つけられない、初期の小さな転移を発見できます。**肝転移などを調べる腹部CT検査といっしょに胸部および骨盤のCT検査も行われるのが一般的です。

検査⑦ からだへの負担が少ない超音波検査

超音波検査は、プローブと呼ばれる探触子（たんしょくし）を当てて、返ってくる反射波をコンピュータ処理することで体内の臓器などの様子を画像化して調べる検査です。

X線検査やCT検査などの画像検査と比べて被曝（ひばく）の心配がなく、苦痛も少ないため、患者さんの負担が軽い検査です。

検査の際は、仰向けになったり、調べる部位によっては横向きになったり、息を止めたりしてもらいながら行います。

超音波検査は腹腔内臓器の診断にも有効で、大腸がんの手術後は**おもに肝転移の有無を調べるために行われています。**

ただし、超音波検査は実質臓器（肝臓や腎臓など）やリンパ節の異常検出は有効ですが、腸管や肺などのガスや空気を含む臓器の異常検出はやや不得手です。

検査⑧ CT検査で全身の断面を調べる

CT（コンピュータ断層撮影）検査は、X線で体内を3㎜～1㎝（通常は5㎜）間隔で輪切りに撮影し、コンピュータで画像を処理することによって体内を詳しく観察できます。

全身の検査が可能なため、**大腸がん手術後の再発・転移を調べるために必ず行われる検査**です。比較的小さな病巣も映し出せますが、2〜3㎜の小さな病変の診断は難しいことが少なくありません。

検査⑨ MRI検査でCTより詳細に画像診断を行う

MRI検査は磁気共鳴画像診断ともいい、強力な磁石でできた筒状の検査機器に入り、磁気の力を利用して体内の水素原子核からの信号をとらえ、からだの断面を詳細に画像化する検査法です。X線を使用しないため、被曝の心配がありません。CT検査よりも微小な病巣まで映し出すことができ、その病巣ががんかどうかの判断もCT検査よりも正確にできます。

そのため、CT検査では判別がつかなかった病巣がMRI検査では画像で確認することができます。

MRI検査は、局所再発腫瘍の周囲臓器への進展（浸潤（しんじゅん））の有無や小さな**肝転移の発見に有効**です。特殊な物質（鉄の粒子）の造影剤を静脈注射して撮影することで、非常に微小な肝転移も鑑別が可能になります。

この検査では強力な磁気を使うため、心臓疾患で体内にペースメーカーを入れている人や、磁気に反応する医療機器（骨や関節に使用するプレートやスクリューなど）の製品を使用している場合などはMRI検査が受けられないことがあります。人工関節が入っている場合、検査は可能ですが、事前に医師に伝えてください。

検査⑩ PET／PET-CTで微小ながんの発見も可能

PET（ペット）とはポジトロン・エミッション・トモグラフィー（陽電子放射断層撮影）の略で、ポジトロン線を放出する半減期の短い放射性同位元素（RI）を利用し、細胞の活動状況（糖代謝など）を画像で調べる検査法です。

がん細胞は、増殖する際に正常細胞よりも大量のブドウ糖などの栄養が必要です。そこで、ブドウ糖に放射性同位元素を合わせた薬剤を静脈注射して体内画像を撮影すると、がん細胞のある部位に放射性同位元素の薬剤が集まっていることから、それを目印にがん病巣を見つけることができます。

PETによる検査に、CTの画像診断技術を組み合わせたのがPET－CTです。これでは、からだの内部の状態と細胞の活動状況を同時に見ることができます。超音波画像診断やCT、MRIよりも病巣の存在判別の精度が高く、より微小ながんの発見も期待できます。

PETもPET－CTも再発がんの早期発見に適していますが、どこでも受けられる検査ではありません。

再発の検査とは別に通常のがん検診も受ける

大腸がんの手術後の定期検査は、おもに再発を早期に発見するのが目的です。そのため、これらの検査でわかるのは、大腸がんの再発に関連することに限られています。

術後5年間、定期検査を受けて問題がなければ安心、というのはあくまで大腸がんの再発に関することです。それ以外のがんや生活習慣病について、定期検査で同時に調べているわけではありません。

したがって、大腸がんの術後の定期検査とは別に、**一般的な健康診断やがん検診を年に1回ほど受けることが望ましい**といえます。

自治体のがんの集団検診や勤務先の健康診断、人間ドックを積極的に受けることがすすめられます。

術後定期検査とそれ以外の検査で重複する検査項目がある場合は、術後定期検査を優先してください。

先生、教えて

Q&A

どのくらいの期間、再発がなかったら完治ですか？

術後5年経過して、再発がなければ完治したと考えてよいでしょう。

再発した人の約95％が術後5年以内に再発の診断を受けています。以降に再発の診断を受ける人もいますが、わずかです。

したがって、5年間問題がなければ大丈夫といえます。なお、再発して切除可能な状態で手術を受けた場合は、そこからまた5年間は定期検査を受けながら経過をみます。

再発・転移が発見されたら

治療方針は、説明と同意のもとで決定する

症状がなくても、検査で再発・転移と診断された場合は、すぐに治療を開始します。治療が遅れると病巣が広がり、そうなると十分な治療効果が得られません。

よりよい治療を受けるには、落ち着いて説明を聞き、以下の点を確認しながら医師と治療方針について十分に話し合います。

①再発・転移の起こった場所は？
②どれくらい進行しているか？
③考えられる治療法は？（複数ある場合はすべて聞き、どれをすすめるのか、その理由も確認する）
④治療の効果は？（完治が可能か。完治が望めない場合はどの程度進行を遅らせられるか、など）
⑤治療のリスクは？（副作用や後遺症、生命の危険があるか）
⑥治療を受けないとどうなるのか？（治療を受けない選択はあるのか、それによってメリットがあるのか、など）

医師が示す治療法のほかに選択肢がないのか気になるときは、別の医師にセカンドオピニオンを求める方法もあります。

再発・転移が見つかり完治が難しい場合

再発・転移がんの状況によっては、完治が難しいことが少なくありません。このとき大切なのは、患者さんや家族が治療に何を望むかです。できる限り延命を望む場合と、生活の質を重視する場合では治療法の選択が異なります。

がんそのものの治療をやめ、痛みや苦痛の軽減などを中心とした治療やケアに切り換え、生活の質の向上を目指すという選択肢もあります（→P160）。

コラム

セカンドオピニオンを求めたいときは主治医に話し、紹介状をもらう

●主治医に申し出て紹介状をもらう

主治医の提示する治療方針に同意できない場合や、同意するつもりでもまだ判断に自信がもてないときなどには、別の医師に意見を求めるセカンドオピニオンが役立ちます。「ほかの医師に聞くのは失礼では？」と遠慮する患者さんもいますが、希望する場合は遠慮せず、主治医に申し出てください。

それに応じて主治医が「診療情報提供書（↓P116）」を用意するので、患者さんはそれを持って別の医療機関へ行き、医師に意見を求めることになります。

ただし、セカンドオピニオンを求める前に、主治医ともよく話し合っておくことが肝心です。

●聞きたいことを整理してから面談する

主治医の説明をよく聞き、話し合ったうえでセカンドオピニオンを求めることを決めたら、意見を求める医師・医療機関は自分で探します。探し方としては、国立がん研究センターのホームページやインターネットでの情報が役立ちます（↓P166）。最近は「セカンドオピニオン外来」を設けている医療機関も増えています。電話やインターネットで確認して、手続きをしましょう。

面談の時間は限られているので、事前に聞きたいことや確認したいことを整理して、メモなどにまとめておくとよいでしょう。

聞いておきたいことをまとめておき、簡潔にきくことを心がけよう。

再発・転移したときの診断と治療

がん細胞を確認して診断。治療法は臓器ごとに違う

大腸がんが再発・転移したとき、画像検査で病巣が確認され、診断が確定したらすぐに治療を開始します。確定できない場合は針生検（患部に針を刺して組織を採取し病理検査を行う）などで診断を確定します。切除が可能であれば、すぐに切除して、組織検査でがん細胞を確認することもあります。

臓器によって、再発・転移の診断の方法も異なります。治療法も再発・転移した臓器や病巣が限局した状況かどうかで変わります。

治療は手術以外に化学療法や放射線療法も

治療は、可能なら手術して切除するのが基本です。その判断の目安は以下の4つです。

Ⓐ再発・転移がひとつの臓器だけ
Ⓑがん病巣がすべて切除できる
Ⓒ切除しても生活の質を保てるだけの臓器を温存できる
Ⓓ手術に耐えられる体力がある

2つ以上の臓器に転移していても、切除が可能なら手術する場合もあります。手術が難しい場合は局所療法や全身化学療法などを検討します。

局所療法　骨盤内局所再発、リンパ節再発、骨転移、脳転移などに対して行われます。放射線療法のみと、化学療法と放射線療法を組み合わせることがあります。

全身化学療法　手術で切除できないときの治療法です。通常は3種類以上の抗がん剤を組み合わせて行います。

再発がんの化学療法では抗がん剤を組み合わせる

手術による切除が不可能な進行

再発・転移の診断と治療方針の決定

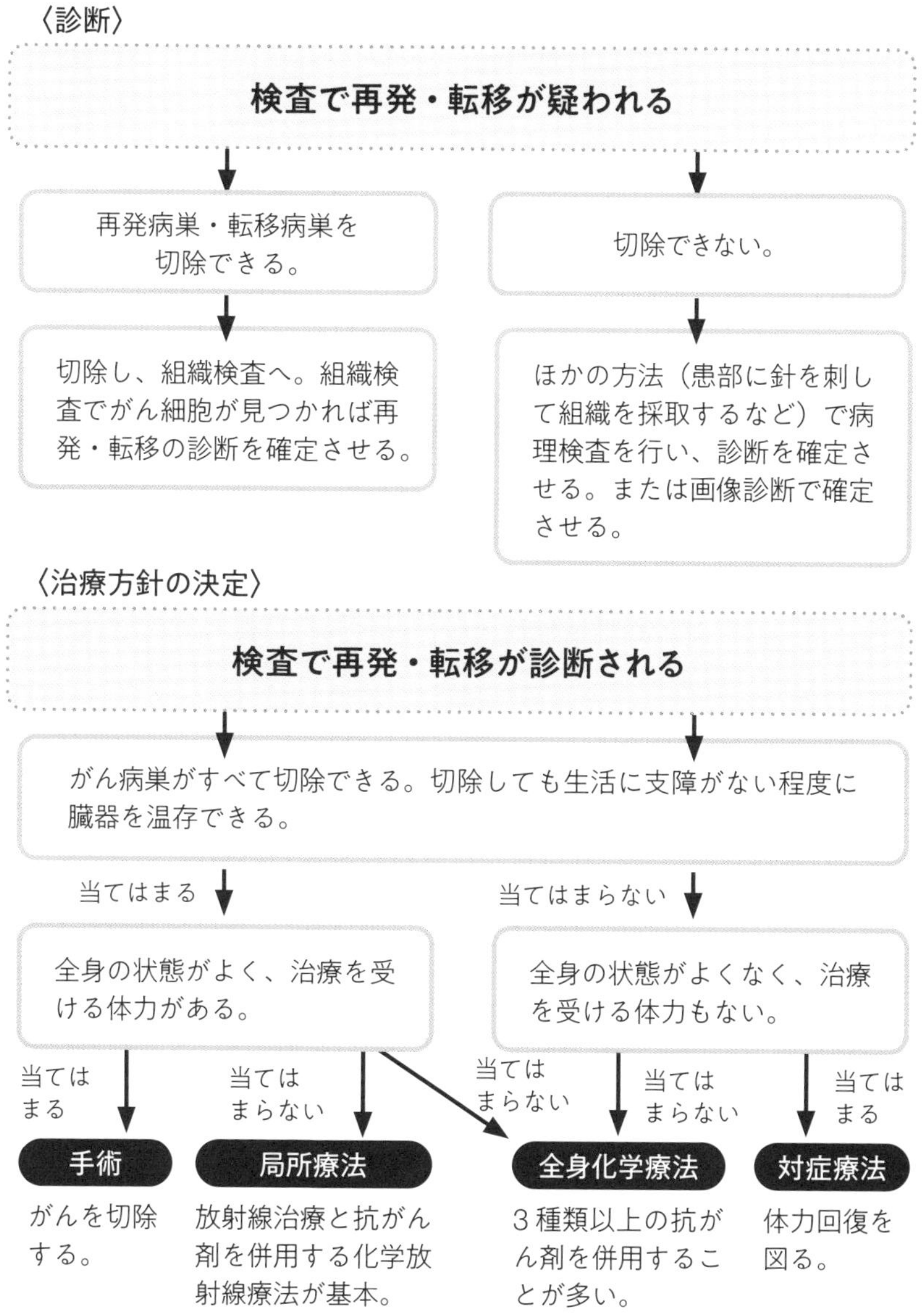

〈診断〉

検査で再発・転移が疑われる

- 再発病巣・転移病巣を切除できる。
  - 切除し、組織検査へ。組織検査でがん細胞が見つかれば再発・転移の診断を確定させる。
- 切除できない。
  - ほかの方法（患部に針を刺して組織を採取するなど）で病理検査を行い、診断を確定させる。または画像診断で確定させる。

〈治療方針の決定〉

検査で再発・転移が診断される

がん病巣がすべて切除できる。切除しても生活に支障がない程度に臓器を温存できる。

- 当てはまる → 全身の状態がよく、治療を受ける体力がある。
  - 当てはまる → **手術**：がんを切除する。
  - 当てはまらない → **局所療法**：放射線治療と抗がん剤を併用する化学放射線療法が基本。
  - 当てはまらない → **全身化学療法**
- 当てはまらない → 全身の状態がよくなく、治療を受ける体力もない。
  - 当てはまらない → **全身化学療法**：3種類以上の抗がん剤を併用することが多い。
  - 当てはまる → **対症療法**：体力回復を図る。

※2つ以上の臓器に再発・転移がみられた場合でも、手術の選択が考慮されることもある。

したがん、再発した大腸がんでは、抗がん剤による全身化学療法が行われます。**最初に行われる全身化学療法を一次治療といい、抗がん剤が効かなくなったり、副作用で治療が困難になったりしたら薬を切り替えながら、状態に応じて二次治療、三次治療へと進みます。**

使用する抗がん剤は、フルオロウラシル（５ＦＵ）を基本に、いくつかの抗がん剤を組み合わせます（下図・↓Ｐ150～151）。

近年は、分子標的薬や免疫チェックポイント阻害薬の登場で薬物療法の効果が向上しています。加えて、がん遺伝子検査や遺伝子パネル検査（↓Ｐ149）により有効な薬がわかるようになっています。

たとえば分子標的薬である血管新生阻害薬のベバシズマブ、ラム

抗がん剤はいくつか組み合わせて使う

抗がん剤の基本	フルオロウラシル（5FU）

いくつかの抗がん剤を組み合わせる

候補（例）	●レボホリナート（LV）　●オキサリプラチン（OX） ●ベバシズマブ（BEV）　●パニツムマブ（Pmab） ●イリノテカン（IRI）　など

組み合わせ例

FOLFOX（フォルフォックス）＝フルオロウラシル＋レボホリナート＋オキサリプラチン

FOLFIRI（フォルフィリ）＝フルオロウラシル＋レボホリナート＋イリノテカン

FOLFOXIRI（フォルフォキシリ）＝フルオロウラシル＋レボホリナート＋オキサリプラチン＋イリノテカン

コラム

遺伝子パネル検査ってどういうものですか?

これまでもがん遺伝子検査で遺伝子変異に応じた抗がん剤を使うことはありました。それをバージョンアップしたのが、遺伝子パネル検査です。複数の遺伝子を同時に調べることが可能です。

従来は生検や手術で採取したがんの組織を用いて検査していましたが、最近、血液や体液に含まれているがん細胞やがん由来物質を解析できるようになりました(リキッドバイオプシーという)。

大腸がんでは、RAS、BRAF、MSIという遺伝子を調べる検査が保険適用になっています。

●受けたほうがよい?

がん遺伝子パネル検査は誰でも受けられるものではなく、標準治療がない固形がん、局所進行または転移があり、標準治療が終了した固形がんの人で、次の新しい治療法を希望する場合に検討します。全身状態がよいことも条件です。

こうしたゲノム医療を受けることで、遺伝子変異などが見つかれば、有効な抗がん剤を用いることができます。保険適用外の薬でも有効性があると考えられるときは、臨床試験に参加するなどして新しい治療法につながる可能性もあります。

遺伝子パネル検査は時間がかかるため、治療につながるまで2か月ほど必要です。抗がん剤治療が二次治療くらいまで進んでいるときには、早めに検査を受けるように医師がすすめることもあります。

しかし、検査をして遺伝子変異があっても有効な治療に結びつかないことも少なくありません。新たな治療に結びついたものは、現時点では10%程度です。こうした点をよく理解したうえで受けるかどうか判断しましょう。

遺伝子パネル検査を受けるには全国に拠点病院やその連携先の病院があります。費用は保険適用で40万円ほどかかります。

おもな抗がん剤の組み合わせ

効果がなくなったら切り替える ⤻

	三次治療	四次治療	五次治療
＋ ベバシズマブまたはラムシルマブまたはアフリベルセプト →	セツキシマブまたはパニツムマブ(+イリノテカン)	→ レゴラフェニブ	→ FTD ／ TPI
		→ FTD／TPI	→ レゴラフェニブ
＋ セツキシマブまたはパニツムマブ →	レゴラフェニブ FTD／TPI		
＋ ベバシズマブ →	セツキシマブまたはパニツムマブ(+イリノテカン)	→ レゴラフェニブ	→ FTD ／ TPI
		→ FTD／TPI	→ レゴラフェニブ
＋ セツキシマブまたはパニツムマブ →	レゴラフェニブまたはFTD／TPI		
＋ ベバシズマブまたはラムシルマブまたはアフリベルセプト →			
＋ ベバシズマブ →			
→			

可能であれば①~⑤のいずれかの治療に移行

①~⑥の一次治療の中から最適と判断される治療を選択する。
一次治療でベムブロリズマブを使用していない場合は①~⑥の二次治療以降の最適な治療ラインでベムブロリズマブまたはニボルマブ、イピリムマブ+ニボルマブを使用

①~⑥の二次治療、または三次治療の最適な治療ラインでエンコラフェニブ+セツキシマブまたはエンコラフェニブ+ビニメチニブ+セツキシマブを使用

①~⑥の二次治療以降の中から最適と判断される治療法を選択する

①~⑥の二次治療以降の最適な治療ラインでエヌトレクチニブまたはラロトレクチニブを使用

のための大腸癌治療ガイドライン2022年版』『大腸癌治療ガイドライン医師用2022年版』(ともに金原出版)より改変

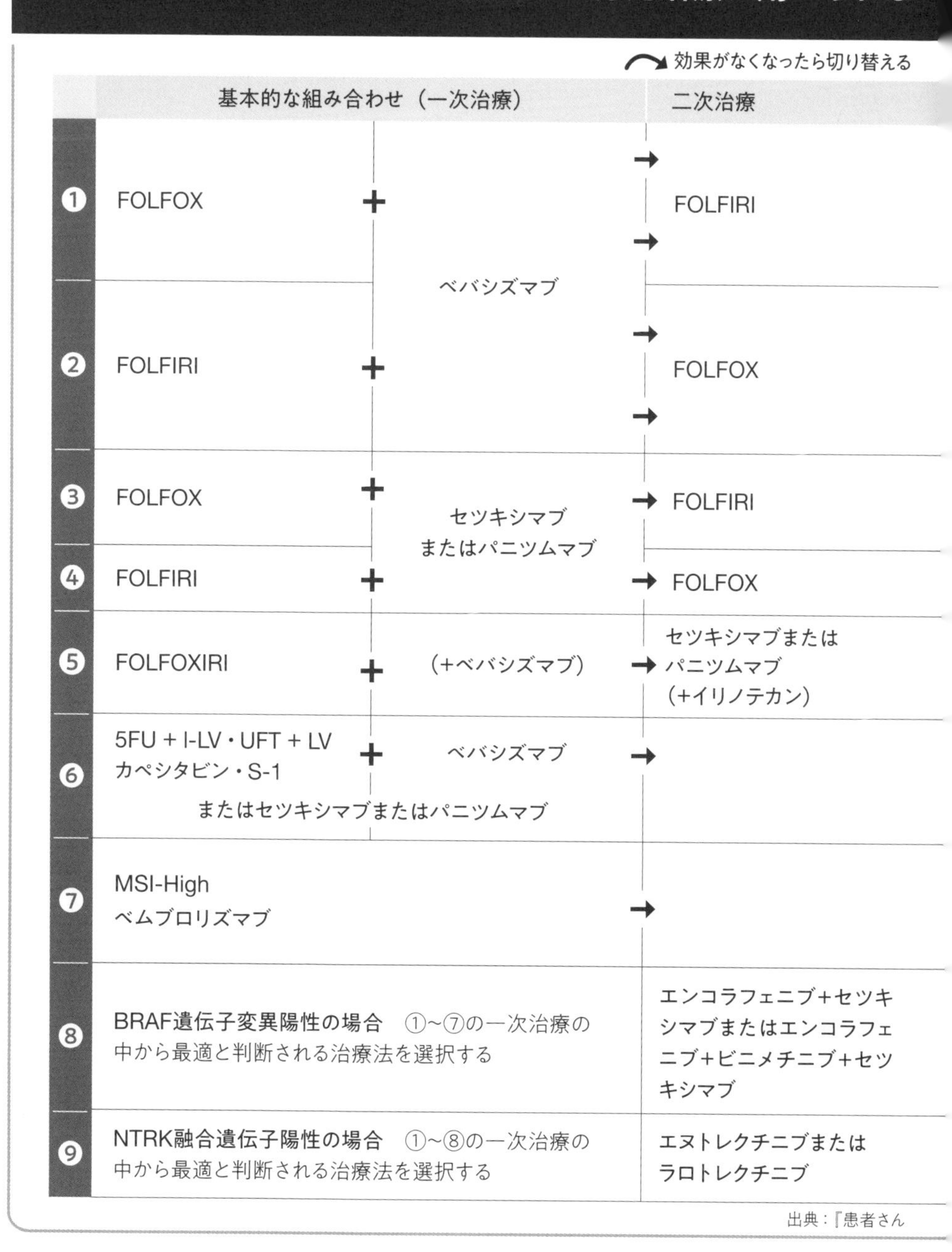

大腸がんの再発治療に用いられる

→ 効果がなくなったら切り替える

	基本的な組み合わせ（一次治療）		二次治療
①	FOLFOX	＋ ベバシズマブ	→ FOLFIRI
②	FOLFIRI	＋ ベバシズマブ	→ FOLFOX
③	FOLFOX	＋ セツキシマブまたはパニツムマブ	→ FOLFIRI
④	FOLFIRI	＋ セツキシマブまたはパニツムマブ	→ FOLFOX
⑤	FOLFOXIRI	＋ （+ベバシズマブ）	→ セツキシマブまたはパニツムマブ（+イリノテカン）
⑥	5FU + l-LV・UFT + LV カペシタビン・S-1	＋ ベバシズマブ またはセツキシマブまたはパニツムマブ	→
⑦	MSI-High ベムブロリズマブ		→
⑧	BRAF遺伝子変異陽性の場合　①～⑦の一次治療の中から最適と判断される治療法を選択する		エンコラフェニブ+セツキシマブまたはエンコラフェニブ+ビニメチニブ+セツキシマブ
⑨	NTRK融合遺伝子陽性の場合　①～⑧の一次治療の中から最適と判断される治療法を選択する		エヌトレクチニブまたはラロトレクチニブ

出典：『患者さん

シルマブ、アフリベルセプトは、RASという遺伝子変異の有無を調べることで有効性を判断できます。RASの遺伝子変異がある人は、血管新生阻害薬が有効です。一方、RASの変異がない人は大腸がんが大腸の右側か左側にあるかで抗がん剤の効果が変わります。大腸の右側にがんがある場合は血管新生阻害薬が有効です。

これに対して、大腸の左側にがんがある場合は別の分子標的薬である抗EGFR抗体薬のセツキシマブやパニツムマブが有効です。

また、イリノテカンを使用する場合にイリノテカンによる重篤な副作用が起こりやすい遺伝子タイプ（UGT1A1の遺伝子多型）かを調べます。さらに最近、「MSI（マイクロサテライト不安定性）」という遺伝子検査も追加され、免疫チェックポイント阻害薬が有効かどうか調べることができます。

副作用が重い場合は使用を中止する

抗がん剤による化学療法は副作用があるため（→P48）、患者さんの状態が悪いときは行えません。化学療法を行う目安は、全身状態がよく、肝機能・腎機能が保たれている、がん病巣を画像検査で見ることができる、という場合です。

そして、治療開始後でも副作用が重いときは使用を中止します。

放射線療法の目的はおもに症状をやわらげること

大腸がんの再発・転移があり、切除が難しい場合は、がんの進行にともなって起こる痛みや出血などの症状を緩和する目的で放射線治療が行われることがあります。

ほかに、脳に転移した場合にも放射線治療がよく行われます。

また、大腸がんの再発で手術が可能なとき、手術前に放射線治療を行ってがん病巣を縮小させ、切除しやすくすることもあります。

肝転移であれば腹部CT、MRIなどで検査

肝臓への転移が疑われる場合は、腹部超音波検査や腹部CT、MRIなどの検査で詳しく診断します。切除できない肝転移は画像検査で診断できるので、肝生検（採取した組織の顕微鏡検査）は行われません。がんの転移病巣が確認され、146ページのⒶ～Ⓓの手術の可否の

目安に当てはまる場合は切除手術が行われます。しかし、転移が肝臓だけでも小さな病巣が肝臓のあちこちに散らばっていて切除しきれない場合は、抗がん剤による全身化学療法を行います。

また、肝臓以外にも転移があるときは全身化学療法が行われることが多いです。ただし、肝転移が切除可能で他の臓器の転移も切除可能な場合、Ⓐ～Ⓓの条件が満たされれば切除が選択されます。

切除不可能で、進行している場合は対症療法が中心になります。

肝転移の場合なら「切除」「焼く」治療法で

肝転移がある場合の切除範囲は、がんの大きさと転移部位および個数に加え、肝機能の状態によって

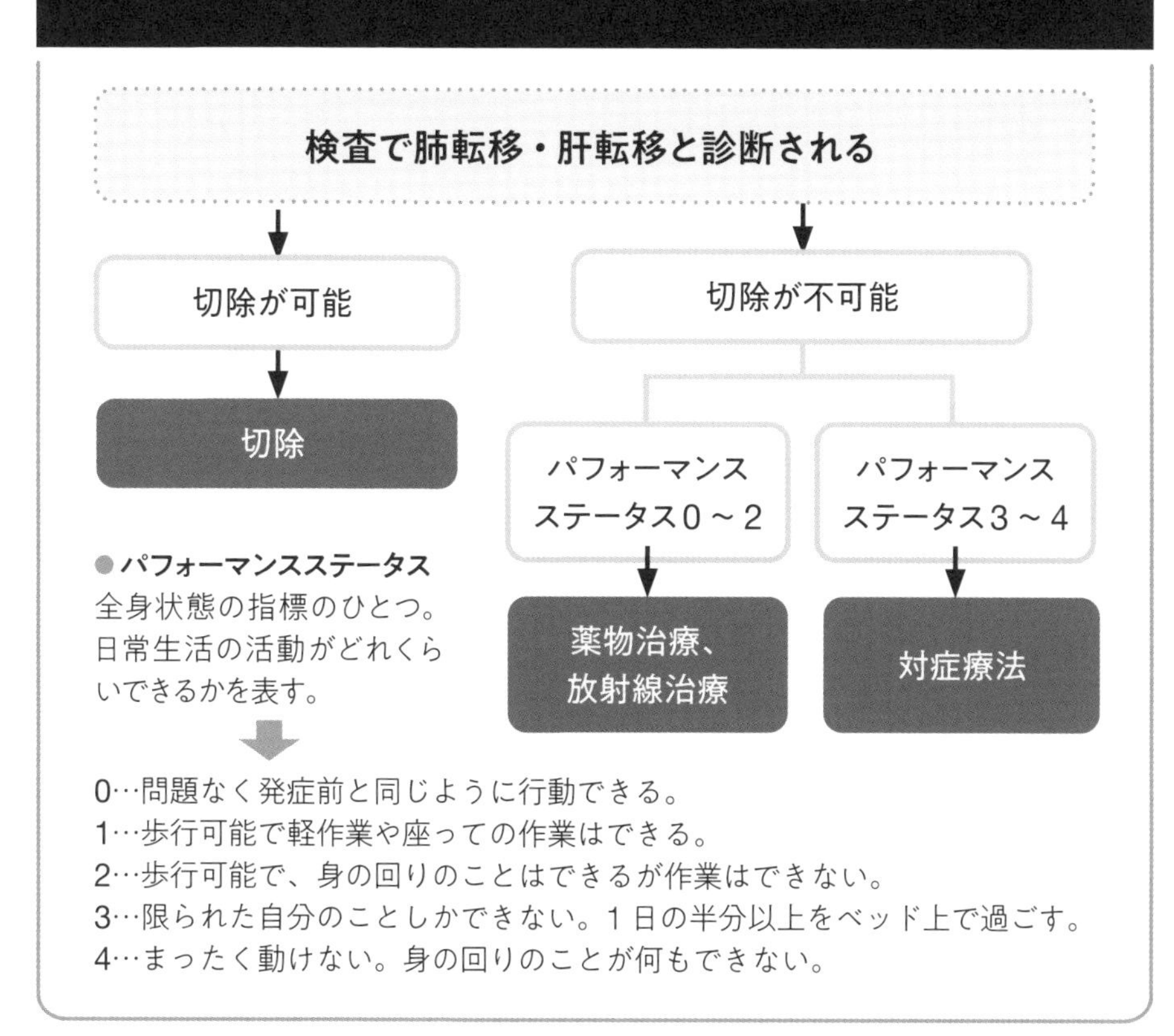

決まります。

切除手術を行う場合は、切除範囲の広い順に葉切除（肝右葉切除、または肝左葉切除）、8つの区域のうちのどこかを切除する区域切除、さらに小さな部分切除があります。

肝機能が正常な場合は、肝臓の70％までは切除できます。これにより、がんをすべて切除できれば、治る可能性があります。

肝切除を行っても再度肝転移やその他の遠隔転移が出現することが多いのが現状です。肝転移切除全体の5年生存率は35～58％です。

切除手術ができない肝転移に対して、熱凝固療法が行われることがあります。がんの正確な位置を確認し、皮膚の上から特殊な針を刺し、先端に電磁波を発生させて90℃くらいの熱を加え、がんを変性させて死滅（凝固壊死(ぎょうこえし)）させる治療法です。用いられる電磁波の波長により2つの方法があります。**マイクロ波凝固療法（MCT）**がんの直径が2㎝くらいまでの場合に適しています。温度上昇が早く、数分間で治療できます。**ラジオ波焼灼療法（RFA）**がんの直径が3㎝くらいまでの場合に適しています。高周波電流なので温度上昇がゆるやかで、治療には10分ほど時間がかかります。

先生、教えて

Q&A

抗がん剤の持続注入法とはどういうものですか？

抗がん剤の投与法は、点滴か内服です。点滴は時間がかかる場合があり（46時間かけて抗がん剤を持続静脈注射する）、胸などに埋め込んだ携帯用ポート（皮下埋め込み式ポート）から持続注入する方法があります。これなら入院しなくてもよく、通院しながら自宅で抗がん剤治療を受けることも可能です。

病院の外来で点滴を開始し、しばらく様子をみて、あとは自宅に帰れます。自宅で点滴開始から約48時間後に針を抜いて終了です。針の抜き方や注意事項、副作用の対処法は事前に指導を受けておきます。

ポートの埋め込みは、20分程度の簡単な手術でできます。

肺転移の場合は、CT検査で調べる

肺への転移が疑われる場合は、胸部CT検査などで詳しく調べて診断します。がんの転移病巣が確認され、患者さんの状態が切除可能な目安（→P147）に当てはまる場合は、切除手術が行われます。

多発の肺転移で手術でがんが取りきれない場合や肺の周囲のリンパ節転移がある場合、肺切除により、残っている肺の機能が著しく低下する場合、肺以外にも切除できない転移がある場合は、患者さんの全身状態がある程度保たれていれば全身化学療法を行います。

また、手術ができない場合でも、原発巣と肺以外の転移がコントロールできている状態であれば、5cm以内の肺転移で個数が3個以内の場合は定位放射線療法を行うこともあります。

手術以外には抗がん剤や放射線療法も

肺に転移しても切除が可能で、完全にがんを取りきることができれば治癒が望めます。肺転移に対して肺切除をした患者さんの5年生存率は30～68％というデータがあります。ただし、肺は肝臓と違って再生能力がありません。そのため、切除後に再度肺に転移が見

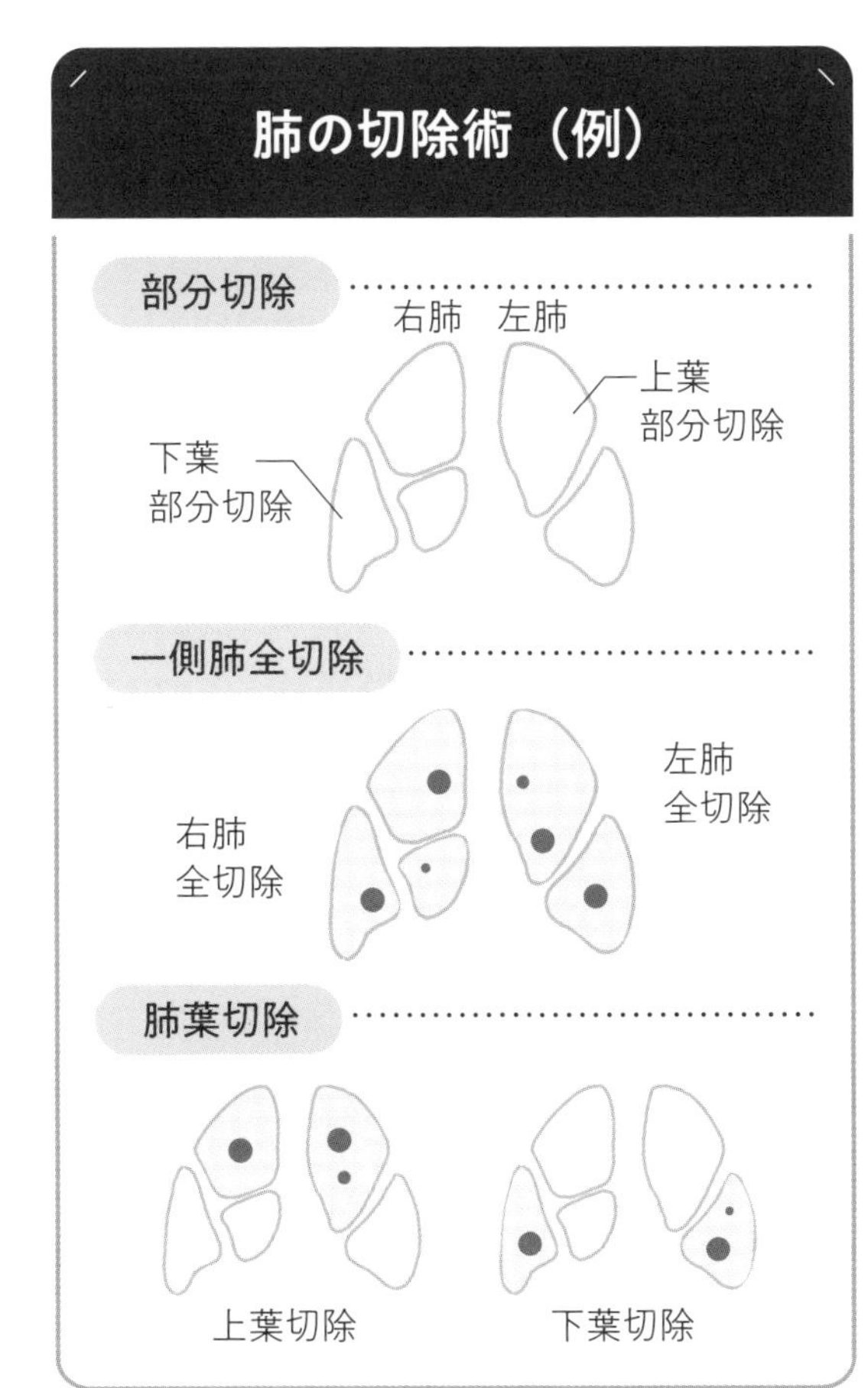

つかったとき、それ以上切除すると呼吸の機能が維持できないと判断されると、次の手術はできません。

このようなときは、抗がん剤による全身化学療法が行われます。複数の抗がん剤を組み合わせるのが一般的で、効果が期待できます。

なお、使用する抗がん剤は、原発部位が肺にある肺がんに用いる抗がん剤とは違います。病巣は肺でも、大腸がんの再発・転移に対する抗がん剤が使われます。

転移がんの数が少ない場合（3個以内）は、定位照射（→下段）という放射線治療が行われることもあります。

また、重粒子線（→P159）という特殊な放射線を用いた治療を検討することもあります。

脳転移の診断は頭部CT、MRIなどで

脳への転移が疑われる場合は、頭部CT検査やMRI検査などで診断します。MRI検査では、微小な脳転移も診断できます。

脳転移の場合、頭痛やめまい、吐き気など何らかの症状が現れて再発がわかることもあります。

脳転移については大腸がんの術後の定期検査では行われないことが多くあるため、気になる症状があるときは至急受診して検査を受けることが肝心です。

脳転移の診断がついたら、転移病巣の大きさ、部位、個数、さらに全身状態やほかの転移の有無などから判断し、手術または放射線治療が行われます。

脳転移の場合は切除か放射線療法を

前出の切除手術の目安（→P146）に当てはまる場合は手術します。しかし、脳の手術では深刻な機能低下を起こさないことが条件となると、たとえ転移が脳の1か所でも手術が困難なことがあります。

ただ、初めての再発で、脳の一部だけの転移で、完全に切除しきれば治癒の可能性もあります。

手術での切除が困難な場合は、放射線治療が行われます。全脳照射と定位照射があり、後者がよく行われています。

定位照射は放射線をがんに集中させ、脳の正常な部分へ当たる放射線を最小限に抑えます。脳の転移の大きさが3㎝以下で3個以下

の場合に行います。それ以外の脳転移は全脳照射を行います。

放射線の種類や照射方法により、リニアック、ガンマナイフ、サイバーナイフなどがあります。

リニアックによる定位照射は金属リングで頭部を固定し、X線照射を行います。

ガンマナイフはガンマ線を照射します。ヘルメットのような装置を頭につけ、小さな病巣もピンポイントで治療できます。

サイバーナイフもリニアックと同じX線を照射しますが、頭部をメッシュ状の固定具で覆い、自動制御式のロボットアームを用いて画像診断のデータをもとに、がんの正確な位置をとらえて、さまざまな角度からがんに高エネルギーの照射を集中させます。

副作用は脱毛、吐き気や嘔吐(おうと)などです。まれに脳の壊死や浮腫(ふしゅ)(むくみ、腫れ)、出血、視力障害などが起こることがあります。

リンパ節転移の診断は触診や画像検査で

原発巣(げんぱつそう)の近くのリンパ節は、最初の手術で原発がん病巣といっしょに切除されます。それ以外の離れた部位のリンパ節への転移は、鼠径部や頸部などの表在のリンパ節転移は触診で、深部のリンパ節転移は各種画像検査で診断します。

リンパ節への転移が限局して切除可能な場合は、切除が基本です。転移したリンパ節が多数あり、切除が困難な場合は全身化学療法が行われます。放射線を併用して化学放射線療法が行われることもあります。

骨転移の場合は放射線と薬物療法がメイン

骨転移はCTやMRIなどの検査で詳しく調べて診断します。RI検査(放射性同位元素のラジオアイソトープを利用する画像検査)が行われることもあります。

大腸がんの骨転移では、骨だけに転移しているケースはわずかで、骨以外の臓器にも転移していることが多いです。大腸がんの骨転移に対する全身化学療法の効果については定かではありません。

外科治療については、単発の骨転移に対して手術で切除することもありますが、大腸がんではきわめてまれです。脊椎転移により脊髄神経麻痺が起こる場合は緊急で脊椎の一部を切除する除圧術を行い、神経麻痺を回避することがありますが、特殊な場合です。骨転移の治療の中心は放射線治療で痛みの軽減と骨折予防が目的です。

骨転移に対する放射線治療で、約90％の患者さんに対し痛みがやわらぐとされています。

放射性ストロンチウムという体内投与できる放射性物質を用いると、1週間程度で痛みがやわらぐという報告があります。

骨転移は痛みが起こりやすいので、痛みを軽減する薬物療法も行われます。鎮痛薬のほか、ビスホスホネート剤という骨粗しょう症の治療に用いる薬がよく用いられます。この薬は骨を破壊・吸収する破骨細胞の働きを妨げる作用があり、骨転移の形成進行を抑制することが可能だと考えられます。

腹膜播種なら抗がん剤で治療する

腹膜への転移は超音波やCT、MRIなどで検査して診断しますが、早期発見は容易ではありません。腹腔に針を刺して腹水（ふくすい）を採取し、腹水中にがん細胞が見つかって診断されることもあります。

腹膜播種（はしゅ）は切除が困難な転移です。治療は、全身化学療法が中心になります。ただし、卵巣転移の場合は全身化学療法の効果は乏しく、両側の卵巣を切除します。

進行してがん性腹膜炎を起こし、腸管が狭くなって腸閉塞を引き起こした場合は、バイパス手術やストーマ（人工肛門）を造設する手術などが行われることもあります。

局所再発の治療は切除や抗がん剤、放射線治療を

大腸の局所再発が疑われるときは大腸内視鏡検査、CT検査、MRI検査などで詳しく調べ、組織検査を行って診断します。

手術で切除が可能な場合は、手術可否の4つの目安（↓P146）に当てはまれば、手術を行います。完全にがんを取りきれれば治癒（ちゆ）の可能性もあります。

ただ、場合によっては最初の手術より切除範囲が広範囲になり、骨盤内のほかの臓器や血管、神経にも切除がおよぶことがあります。

肛門温存術を受けたあと、再発病巣が肛門におよぶときは肛門も含めて切除する直腸切断術を行います。この場合は新たにストーマ

（人工肛門）も造設されます。

さらに、周囲臓器の膀胱、前立腺、尿道、仙骨および子宮や腟にがんが広がる場合は、これらの臓器を合併切除する骨盤内臓全摘術（仙骨合併切除）を行います。その場合は人工膀胱（回腸導管）も造設されます。手術ができない場合や手術でも取りきれない可能性があるときは、抗がん剤による化学療法と、放射線治療を併用する化学放射線療法が行われます。

抗がん剤治療の目的は、がんの増殖を遅らせ、症状をコントロールするためです。大腸がんの再発に用いられる抗がん剤は前出（→P150〜151）のとおりです。複数の抗がん剤を組み合わせることで治療効果が高くなります。抗がん剤の種類によって異なりますが、内服か点滴による投与となります。

骨盤内での再発は重粒子線治療のことも

骨盤内の局所再発があり、手術で切除できない場合は、重粒子線（炭素線）を使う特殊な放射線治療が行われることがあります。

重粒子線治療は炭素イオンを加速器に通して加速させ、がん病巣に照射する放射線治療です。重粒子線は体表面では放射線量が弱く、がん病巣でピークになる特性があり、がんをピンポイントに狙い撃ちできます。また、がん細胞を殺傷する力が強く、1回の照射で得られる効果が高いのも特徴です。

重粒子線治療は手術による切除と同程度の効果があるのです。

なお、放射線が腸管に当たると孔があいてしまうため、特殊なスポンジ状のシートをがん病巣と腸管の間に事前に留置手術で埋めておくとその心配がありません。ただ、重粒子線治療が受けられる施設は全国で6か所です。

重粒子線治療の対象にならない場合

1. 手術による切除が可能
2. 骨盤の外に転移がある
3. すでに放射線治療をしている
4. 治療に影響する重い合併症や感染症がある
5. そのほか、医師が困難と判断した場合

再発・転移の苦痛を軽減する緩和ケアとは

痛みや苦しみをやわらげ、全身状態を安定させる

緩和ケアは、痛みなどの苦痛をコントロールすることで体調を安定させ、がんとともに前向きに生きるための治療です。

痛みや苦しみがあると、睡眠や食事も不十分になり、精神的ストレスも増大します。それによって体力が落ち、全身状態が悪化して治療に影響することもあります。

痛みや苦しみをがまんせず、緩和ケア治療を受けて苦痛をやわらげたほうが、睡眠も食事も十分にとれるようになり体力が向上して、全身状態が安定します。それにより化学療法を長い期間行うことができたり選択肢が増え、手術が可能になったりすることもあります。

からだとこころ、すべての痛みに対応する

患者さんの苦痛は、がんによる身体的な苦痛だけでなく、がんのために仕事を休むことによる経済問題などの社会的な苦痛、病気の進行にともなう不安などの精神的な苦痛、死への不安や自分の存在危機などの霊的な苦痛（スピリチュアルペイン）などが複雑に絡み合っています。緩和ケアは、こうした患者さんの抱えているすべてのつらい症状（トータルペイン＝全人的苦痛）に対して行われます。

再発や転移で起こる症状の緩和ケア

がんの再発・転移にともなう症状にも緩和ケアが適応します。

骨転移がある場合は非常に痛みが強く、ほかにもがんの悪化によるリンパ浮腫（ふしゅ）にともなう痛みなど、進行がん特有の症状が強まります。

体力の低下によりベッドでの生

患者さんが感じる苦痛と緩和ケア

トータルペイン

苦痛		対応
身体的苦痛 がんによるからだの痛み、治療によって生じる苦痛など	→	緩和ケア専門医・麻酔科医などがからだの痛みや苦しみをやわらげる。
社会的苦痛 がんによる退職、離職後の経済問題、治療費、家族の問題など	→	医療ソーシャルワーカーなどが社会的な問題や経済問題などの相談にのる。
精神的苦痛 がんの進行にともなう不安、抑うつ、治療に対する嫌悪感など	→	精神科医や臨床心理士によるカウンセリング、心理的治療法などでやわらげる。
霊的苦痛 **スピリチュアルペイン** 死への不安、自分の存在の危機、生きる意味を失うなど	→	ときには僧侶や牧師など宗教家の助けを借り、患者さんの相談にのることもある。

活が長くなると、床ずれ（褥瘡）による痛みも生じます。緩和ケアでこれらの痛みをやわらげたり、リンパ浮腫にはリンパマッサージ治療なども行われたりします。

また、転移・再発によって精神的なショックが大きい場合は、こころの問題も積極的に相談してください。精神科医らに協力を得て適切に治療が進められます。

痛みを3段階に分けて鎮痛薬を選ぶ

身体的な痛みの緩和治療は、麻酔や麻薬に詳しい麻酔科医などを中心とする緩和ケア専門医によって行われます。痛みの治療はがんの進行度に関係なく、痛みの強さに応じて鎮痛薬を選択するのが原則です。162ページ図のように痛みを3段階に分類し、鎮痛薬を使い分けます。最も痛みが強い場合は、医療用麻薬のモルヒネなど、強オピオイド薬が用いられます。

ほかにも、骨転移の痛みにはビスホスホネート剤が用いられることもあります。また、脊髄硬膜外腔に麻酔薬を注射して痛みをやわらげる方法もあります。

これ以上がんの治療をしたくないと思ったら

がんの治療中も痛みやがんの進行にともなう症状が出てきたときは、症状を和らげる緩和ケアも並行して行います。治療の効果が望めないところまでがんが進行した場合、治療を継続するかどうかの最終的な判断は、患者さん自身と家族が話し合って決めるべきです。

WHOが定める鎮痛薬の使用法

治療にあたって守るべき「鎮痛薬使用の4原則」、痛みの段階別の鎮痛薬の選択「3段階除痛ラダー」が示されている。

痛み治療の4原則

❶ 簡単な経路（経口など）で薬を投与する
❷ 時間を決めて規則正しく薬を使用する
❸ 患者さんに合った薬の量を使用する
❹ 副作用が最小になるように配慮する

3段階除痛ラダー

第3段階
中等度～高度の痛み
強オピオイド（麻薬性）鎮痛薬。
モルヒネ、フェンタニルなど

第2段階
軽度～中等度の痛み
弱オピオイド（麻薬性）鎮痛薬。
コデインなど

痛みの程度に応じて、NSAIDsや鎮痛補助薬（抗けいれん薬、抗ヒスタミン薬、抗うつ薬、ステロイド薬など）を組み合わせることもある。

第1段階
軽度の痛み
非オピオイド（非麻薬性）鎮痛薬。
アスピリンなどの非ステロイド性抗炎症薬（NSAIDs）、アセトアミノフェンなど

痛みの程度に応じて、鎮痛補助薬を組み合わせることもある。

※この他に、必要に応じて放射線療法や神経ブロック療法などが行われることもある。

注：2018年WHOの「がん疼痛治療ガイドライン」が改訂され、「ラダーに沿って」が削除され、患者個別に痛みの程度により、薬剤を選択することになった。

残された時間を大事に生きると結論づけたのであれば、がんの治療はいったん終了し、対症療法と緩和ケアに切り替えます。

がんの治療をやめた場合の選択肢には、緩和ケア病棟やホスピス（施設ホスピス）への転院か、退院して受ける在宅ケアがあります。

ホスピスの語源は「あたたかいもてなし」で、病気の人をゆっくりと休ませる場所のことです。

語源のとおり、ホスピスでの生活は患者さんをあたたかく迎え、比較的自由に生活でき、残された日々を生活の質を保ちながらすごせるようになっています。見守る人がそばにいて、医療スタッフもすぐ近くにいるため安心です。痛みの緩和などの対症療法は行いますが、延命治療は行われません。

在宅ケアは自宅で過ごし、必要に応じて医師の訪問診察を受けながら療養します。残された日々を住み慣れた自宅で、家族とともにすごせるのが最大のメリットです。

ホスピスや在宅ケアを希望する場合は、まず受け入れてくれるホスピスや在宅ホスピスの医師を探します。そして主治医に紹介状をもらい、転院が可能か確認します。

先生、教えて
Q&A

痛みをやわらげる薬はのみ薬のほかに何かありますか？

がんの痛みの治療には、モルヒネなどのオピオイド薬（医療用麻薬）が用いられます。飲み薬のほかに、皮膚に貼る貼付薬、座薬、注射薬、持続点滴などがあります。

貼付薬は通常3日ごとに貼り替えるもので、自分でできること、また、作用が長時間持続する点がメリットです。最近1日ごとに貼り替えるものも出て、痛みの調節がしやすくなりました。

神経ブロック療法は麻酔科医が行うもので効果の高い方法です。特に硬膜外ブロックは脊髄の硬膜外腔に麻酔薬を注入し、神経をブロックして痛みを抑える方法で、がんが骨盤や骨盤内臓器に転移し、強い痛みがあるときに行われます。

Q&A

治験への参加をすすめられました。受けたほうがいいでしょうか？

▼治験とは新薬の臨床試験

病気やけがで使われる薬はすべて、開発からさまざまな研究や動物実験を経て、人に用いても効果があり、安全と予測されるものが新薬の最終候補となります。そして、最終段階で人に対する臨床試験が行われ、新薬の効果と安全性を審査します。国の承認を得るために行われる臨床試験を「治験（治療試験）」といいます。

▼海外で使えても国内の治験が必要

抗がん剤には、現在治験中のものがあります。海外ではすでに治験の実績があっても、国内の治験を経ないと厚生労働省から使用許可がおりません。

すでに海外で使われているのに、なぜ国内での治験が必要なのか疑問に思うかもしれませんが、その治療成績は欧米人に使用されたもので、日本人が使用した場合の作用・副作用のデータがありません。薬は安全第一です。そのため、国内での治験が必要なのです。

▼基本、製薬会社が依頼した医療機関で実施

治験は、製薬会社が計画し、厚生労働省に届け出をして医療機関に依頼して実施されます。治験を経て、人体への悪影響がないこと、治療効果があることが確認されれば、厚生労働省の承認が得られ、新薬の国内製造や輸入が認められます。

治験中の新しい抗がん剤が、既存のどの薬よりも病状改善に適する可能性があると考えられる場合は、医師から治験参加をすすめられることがあります。また、最近では製薬会社のホームページなどから情報を得ることもでき、患者さんが自ら参加を申し出るケースも増えています。

治験に用いられる薬の代金や検査費用などはすべて製薬会社が負担します。製

治験の条件 →

参加の条件	薬の効果が期待できる病状
検査費用	患者さん負担なし（製薬会社が負担）
処方薬の代金	患者さん負担なし（製薬会社が負担）

薬会社や医療機関には守秘義務があり、治験参加者の氏名や病歴、治験の経過などが外部に漏れる心配はありません。

治験参加の条件は、その薬の効果が期待できる病状であること、そして治験に耐えられる体力があることも重要です。思いがけない副作用が起こるかもしれないというリスクをともなうからです。

▼〝可能性〟をメリットととらえられるなら受けても

医師から治験参加をすすめられるのは、現在ある薬では十分な効果がなく、その新薬ならなんらかの効果が期待されると考えられる患者さんに限られます。

もちろん実際に効果があるかは未知数ですが、少しでも可能性があり、それをメリットととらえることができるなら治験参加を受けてもよいでしょう。

とはいえ、発売前の新薬であるため、十分な治療効果が得られるかどうかわかりません。副作用が起こるというデメリットもあります。効果がなく、重い副作用だけが現れることも考えられます。

治験参加を決める前に、どんなメリット・デメリットがあるのか医師の説明をよく聞いて、家族とも十分に話し合ったうえで受けるかどうか判断することが大切です。

主治医ではなく治験コーディネーターから説明を受け、参加するか判断する。

大腸がん手術後の生活に役立つ
情報ファイル

※情報は2023年９月現在のものです。

大腸がんの基本情報

●大腸癌研究会

大腸がんの研究を行い、その診断や治療の進歩をはかることを目的とする会。医師向けだけでなく、患者さん向けの大腸がん治療ガイドラインも作成している。大腸がんの基本情報や治療の基礎知識などをホームページで閲覧できる。

HP https://jsccr.jp

●日本対がん協会

がんの正しい知識を広める普及活動、看護師など専門家によるがん相談ホットライン、社会保険労務士によるがんと仕事についての電話相談、がん患者さんとその家族を支援するがんサバイバー・クラブの運営など、がんに苦しむ人を１人でも減らすためにさまざまな支援をしている。

HP https://www.jcancer.jp

▶がん相談ホットライン　TEL03-3541-7830（予約不要
年末年始を除く毎日 10時～13時、15時～18時）

●がん・感染症センター都立駒込病院

厚生労働省から「がん診療連携拠点病院」の指定を受け、地域の医療機関との緊密な連携にも努めている。ホームページから、がんや感染症の先進的な治療、臨床試験や治験などの協力情報なども閲覧できる。

HP https://www.tmhp.jp/komagome/index.html

●国立がん研究センター

国内のがん研究、最新治療、研修、情報収集などの中心的役割を果たしている。国立がん研究センターが運営する“がん情報サービス”は、がんのありとあらゆる情報が得られる。

HP https://www.ncc.go.jp/jp/

▶がん情報サービス　https://ganjoho.jp

国立がん研究センター

がん情報サービス

●がん研究会

国立がん研究センターと並んで国内のがん研究、最新治療、研修、情報収集などの中心的役割を果たしている。ホームページのコンテンツのひとつ“がんに関する情報”ではそれぞれのがんについてくわしく書かれている。

HP https://www.jfcr.or.jp/

●がん研究振興財団

がんの制圧をめざして活動している。ホームページではがんに関する啓蒙活動、治療情報や治験の情報が詳しくわかる。

HP https://www.fpcr.or.jp/

●大腸がんのことがよくわかる　大腸がん情報サイト

大腸がんとはどんな病気か、症状、治療方法、再発予防についての情報、患者さんやその家族の闘病記など、大腸がんについてのありとあらゆる情報を網羅したサイト。

HP https://www.daichougan.info

●がん診療連携拠点病院

厚生労働省は、全国どこでも質の高いがん治療を提供できるように、全国にがん診療連携拠点病院、地域がん診療拠点病院、特定領域がん診療連携拠点病院、地域がん診療病院を指定している。これらの病院では、患者さんやその家族に対する相談支援と情報提供も行っている。

HP https://www.mhlw.go.jp/stf/seisakunitsuite/bunya/kenkou_iryou/kenkou/gan/gan_byoin.html

●キャンサーネットジャパン

患者さんの立場から、患者さんだけでなく、家族や支援者などに向けて科学的根拠に基づくあらゆる情報発信を行う。大腸がんをはじめ、さまざまながんのイベントを頻繁に開催している。

HP https://www.cancernet.jp

●がん患者団体支援機構

すべてのがん患者さんたちとその家族が納得のいく治療環境を得るために、親睦を深め、情報を交換しあう団体。

HP https://canps.jp

●日本医薬情報センター

国内外の医薬品に関する臨床的に有用な情報を収集・処理・提供することによって、薬剤の臨床の適正化を通じて製薬と医療の間の架け橋の役目を果たすことを目的に設立された。新薬の情報や薬の副作用などについての情報も得られる。

HP https://www.japic.or.jp/

●がんサポート

がん医療に関する最新の治療情報や全国の患者会の活動、病気や治療法の解説など広範囲の情報が閲覧できる。

HP https://gansupport.jp/

●市民のためのがん治療の会

患者さんが自分にいちばんあった治療法を選ぶためのサポートと情報公開を推進している。会員になると、FAX やメールで情報を得たりセカンドオピニオンを求めることもできる。

HP www.com-info.org

患者会・オストメイトに関する情報

●日本創傷・オストミー・失禁管理学会

ストーマケア、創傷(きず)のケア、失禁のケアに関する情報を発信し、患者さんとその家族がその人らしい生活を送れるように支援している。全国のストーマ外来が検索できる。

HP https://jwocm.org/

●日本オストミー協会

ストーマの造設術を受けた患者さん同士の情報交換や交流をはかる全国的な組織。ホームページでは、全国各地のオストメイトの会（支部）や関係団体の連絡先にリンクしており、ストーマとうまく付き合っていくために必要なさまざまな情報が得られる。

HP https://www.joa-net.org

●オストメイトJP

オストメイトの外出時に便利な、オストメイト対応トイレの情報が見られるサイト。オストメイト対応のトイレが設置してある日本全国の施設名と住所、電話番号、利用可能時間のほか、設置回数や温水機能の有無などの情報を掲載している。

HP https://www.ostomate.jp

●ストーマ・イメージアッププロジェクト

「一般社会・家族・医療従事者においてストーマ（人工肛門・人工膀胱）が正しく認知される」ことを活動目的として、日々オストメイトに関わる看護師の団体。日常生活の各場面でストーマとどのように向き合えばいいのかアドバイスが満載。

HP https://www.siup.jp

● WISH MAGAZINE

今までと変わらない生活を楽しむための日常生活の送り方、便利グッズ、ストーマをカバーする洋服の紹介など、ストーマについてのあらゆる情報を網羅したウェブマガジン。

HP wish-magazine.jp

がんの痛みに関する情報

●緩和ケア.net

「緩和ケア」の正しい知識を持つことを目的とした普及啓発事業を推進している。がんの初期段階から受けられる緩和ケアの情報を網羅している。

HP https://www.kanwacare.net/

●日本ホスピス緩和ケア協会

全国のホスピスや緩和ケア病棟の連絡団体。ホスピスや緩和ケアに関する総合的な情報提供を行っている。

HP https://www.hpcj.org/

な

は

た

さ

さくいん

あ

か

監修
グレースホームケアクリニック伊東　院長
元がん・感染症センター都立駒込病院外科部長
高橋慶一（たかはし・けいいち）

1957年神奈川県生まれ。1984年山形大学医学部卒業後、都立駒込病院（現在のがん・感染症センター都立駒込病院）へ。同病院外科医長、大腸外科主任、外科部長、都立大久保病院副院長を経て、現職。都立駒込病院時代は大腸がん治療の院内リーダーとして、国内の病院での大腸がん手術件数年間1位を実現し、大腸がん手術に年間で400件以上手も関わってきた“大腸がん治療のエキスパート”。他院の医師から手術についての相談を受けたり、セカンドオピニオンを求められたりしたことも。また中国や韓国など世界各国の医師たちと意見交換を行ったり、大腸癌研究会でガイドライン作成委員も務めた。1992年に日本大腸肛門病学会総会会長賞、1993年には日本消化器外科学会総会会長賞受賞。現在は、高齢化社会を踏まえ、以前からやりたいと考えていた「訪問医療」に力を注いでいる。医師になってから現在に至るまで、「患者さんが治療を受けてハッピーになれるかどうかが最も大切なこと。手術はその手段の一部に過ぎない。先生に会えてよかったと思っていただける治療をしたい」という考えのもと、患者さんと向き合っている。監修書に『大腸がん　最新標準治療とセカンドオピニオン』（ロゼッタストーン）、『名医が答える！　大腸がん治療大全』（講談社）などがある。

スタッフ
カバーデザイン　斉藤よしのぶ
本文デザイン　工藤亜矢子（OKAPPA DESIGN）
イラスト　タハラチハル
校正　遠藤三葉
編集協力　オフィス201、重信真奈美

参考文献
『大腸癌治療ガイドライン　医師用2022年版』（金原出版）大腸癌研究会・編
『患者さんのための大腸癌治療ガイドライン』（金原出版）大腸癌研究会・編
『大腸がん　最新標準治療とセカンドオピニオン』（ロゼッタストーン）雑賀智也・著　高橋慶一・監修
『名医が答える！　大腸がん治療大全』（講談社）高橋慶一・監修

※本書は、『大腸がん手術後の生活読本』（2009年刊）を再編集しつつ、2023年9月時点の最新情報を盛り込んだものです。

大腸がん
「手術後」の不安をなくす
新しい生活術

監修者　高橋慶一
編集人　新井晋
発行人　倉次辰男
発行所　株式会社主婦と生活社
〒104-8357　東京都中央区京橋3-5-7
TEL 03-5579-9611（編集部）
TEL 03-3563-5121（販売部）
TEL 03-3563-5125（生産部）
https://www.shufu.co.jp/
製版所　東京カラーフォト・プロセス株式会社
印刷所　大日本印刷株式会社
製本所　小泉製本株式会社

ISBN978-4-391-15970-7